SUMÁRIO

Prefácio por Roberto Shinyashiki 7

Apresentação 11

Introdução 17

1. Transitar do medo para a fé 21

2. Acolher todas as partes no coração 41

3. Entrar no fluxo da impermanência 65

4. Libertar-se da falsa ideia da iluminação 93

5. Plenitude além do julgamento alheio 117

6. Práticas: o poder consciente da vontade plena 143

Sustentando a Plenitude 163

A plenitude da Plenitude
por Swami Shankaratilakananda Saraswati 169

Prem Baba, um sábio diante da Plenitude
por Swami Shankaratilakananda Saraswati 181

Glossário de termos em sânscrito 185

PREFÁCIO

Um homem que estava passando por muitas dificuldades foi pedir ajuda a um amigo e foi recebido com muito amor, comida farta e várias garrafas de vinho. Ao final do jantar, o anfitrião falou que ele teria de sair logo cedo, mas deixaria um tesouro que pagaria todas as dívidas do amigo e lhe proporcionaria uma vida totalmente confortável.

Bem cedo, o homem foi para seu compromisso, mas, antes de sair, colocou uma pedra preciosa no bolso do casaco de seu necessitado amigo.

Quando despertou, o homem ficou possesso porque não viu nenhuma sombra de dinheiro. Até encontrou a pedra no bolso do seu casaco, mas imaginou que era um simples talismã e não se deu conta de que tinha se tornado proprietário de uma grande riqueza.

Apesar de trabalhar duramente, as suas dificuldades foram aumentando, e ele se viu mergulhado na miséria. De vez em quando, se sentia muito magoado pelo fato de o amigo não o ter ajudado em um momento de muita necessidade.

Um dia, aconteceu de esse homem encontrar-se com o velho amigo, que ficou surpreso com a sua pobreza e lhe perguntou: "Por que você não vendeu a pedra preciosa que eu deixei no bolso do seu casaco?".

Surpreso com as palavras do amigo, o homem se deu conta de que a pedra era muito preciosa e tinha um imenso valor. Ele ficou muito sem graça por não ter reconhecido a bondade do seu amigo e por ter perdido a oportunidade de usar a sua riqueza.

Hoje em dia, milhões vivem como mendigos quando, na verdade, são donos de tesouros incontáveis. Essas pessoas pensam que dinheiro é o único objeto de valor que existe. Sentem-se abandonadas e vivem com mágoa no coração, sem perceber que a Existência está cuidando delas o tempo todo.

Será que você tem vivido como um mendigo quando tem a oportunidade de viver em plenitude?

Na festa da nossa vida, somos convidados diariamente a procurar as riquezas onde elas não estão e nos embriagamos com as distrações absurdas que o mundo nos oferece.

Depois de já entorpecidos, ficamos confusos com o que realmente alimenta nossa alma e então buscamos a realização em jornadas que não trarão nada senão pobreza de espírito.

Para muitos, encontrar a plenitude soa tão difícil quanto atingir a iluminação plena do Buda. Mas o maior segredo é que ela se encontra dentro de você e foi dada pela Existência.

Sri Prem Baba dedicou toda a sua vida a ajudar as pessoas a encontrarem essa pedra preciosa que está dentro do bolso do casaco delas.

Como estudioso da vida e dos relacionamentos, formou-se em psicologia, atuou durante anos como professor de yoga, mergulhou nos mistérios das escolas xamânicas da floresta, estudou as terapias propostas por outros mestres, mas seu maior mergulho na espiritualidade aconteceu quando encontrou o seu guru, Sachcha Baba Maharajji, e recebeu dele iniciação e treinamento.

Essa integração dos conhecimentos do Ocidente com os do Oriente cria uma visão ampla capaz de ajudar milhares de pessoas a encontrarem o tesouro escondido.

Tenho o prazer de acompanhar a sua trajetória e vejo nele um líder amoroso e competente para auxiliar os buscadores a alcançar sua plenitude. Afinal, a jornada do homem que se propõe a ser um buscador sempre se torna a jornada de um homem que ajuda as pessoas a se encontrarem.

Este livro chega como um amigo afável que tem um mapa para lhe ensinar a olhar para dentro de si e ver toda a riqueza da sua vida. Sri Prem Baba vem para mostrar que a viagem pode ser leve, cheia de paz e felicidade.

Você não precisa sair como um louco atrás da correria da sua vida. Basta ouvir o seu coração e perceber que é lá que está tudo de que você precisa para seguir em frente.

Deixe-se guiar por ele.

Entre cumprir o seu propósito e ser alguém realizado em todos os aspectos, escolha os dois. Permita que este livro lhe mostre onde está a sua gema.

Um abraço,

Roberto Shinyashiki
Médico psiquiatra e escritor

APRESENTAÇÃO

É possível alcançar a autorrealização completa na vida, iluminar todos os aspectos do seu ser e viver em plenitude? Estou em constante contato com buscadores espirituais do mundo inteiro, que procuram a resposta para essa pergunta. Pela minha experiência nas últimas décadas, pude perceber que existe muita ilusão ao redor desse tema, o que acaba gerando inúmeras fantasias sobre o caminho espiritual. Para alguns, é como se existisse um lugar a ser alcançado, como um "prêmio" a ser recebido depois de toda a disciplina e esforços inerentes ao caminho de estudo pessoal. Para outros, haveria um lugar mágico e inacessível, algo de uma dimensão desconectada da realidade material. Percebo, no entanto, que não se trata nem de uma coisa, nem de outra.

Sou um buscador incansável da verdade da existência. Dediquei praticamente toda a minha vida a estudar profundamente os mistérios da consciência. Para isso, fui procurar, em diferentes tradições, as possíveis trilhas que me levariam para algo que, no início da jornada, eu nem sabia o que seria, mas que hoje sei que era um encontro com o que chamo de plenitude. Esse conceito está além da compreensão da mente humana, mas, com as palavras deste livro, acredito que conseguirei torná-lo mais acessível e facilitar o caminho daqueles que querem verdadeiramente se tornar plenos com a existência, estar em comunhão com a totalidade e transcender o sofrimento humano.

Entretanto, para chegar à nossa divindade interior, temos que aprender a ser humanos. Justamente por isso, me dediquei por muitos anos a descobrir os caminhos para lidar de maneira consciente com diferentes temas da nossa vida humana cotidiana. E, como fruto desse trabalho, compartilhei alguns desses conhecimentos nos meus mais recentes livros, dedicados a facilitar os primeiros passos dessa caminhada.

Comecei com *Transformando o sofrimento em alegria*, no qual apresentei um método de autotransformação cujo objetivo principal é nos ensinar a administrar melhor nossa relação com nós mesmos. Nesse livro, destaquei a importância de transmutar os aspectos distorcidos da personalidade e expliquei como tomar consciência dos nossos padrões psicológicos que estão apegados ao sofrimento e boicotam a nossa vontade de viver em alegria.

Em seguida, escrevi *Amar e ser livre*, com o intuito de iluminar as relações humanas, especialmente as afetivossexuais. Nessa obra, procurei abrir caminho para o que chamo de "novo casamento", que é a base para uma sociedade mais justa, mais harmônica e mais alinhada com a verdade. A união de um casal é o núcleo no qual começa a sociedade. Compartilhei, então, ensinamentos para gerenciarmos com mais maturidade nosso relacionamento com as outras pessoas.

Por último, lancei *Propósito*, para auxiliar as pessoas a compreenderem por que nasceram e o que as faz acordar todas as manhãs. Pudemos, então, nos debruçar sobre a arte de alinhar o fazer externo com o comando do coração para realizar o programa da sua alma e colocar os seus dons e talentos a serviço de algo maior. Portanto, trabalhei nesse livro com o conhecimento necessário para aprendermos a nos relacionar com o mundo com mais consciência através do nosso trabalho.

Chega, então, *Plenitude*, que considero uma continuação desse caminhar. Neste livro, vou falar de satisfação plena e daquilo que pode preencher nossos vazios mais profundos, impossíveis de serem preenchidos pelo mundo material. Vamos mergulhar nesse tema para seguirmos com nosso desenvolvimento pessoal e coletivo na direção da plenitude, independentemente do que estiver acontecendo do lado de fora. Vejo que, depois de aprendermos a nos relacionar melhor com nós mesmos, com os outros e com o mundo, chegou o momento de aprendermos a nos relacionar melhor com o todo, com todas as realidades que o compõem, com tudo aquilo que transcende nosso pequeno eu.

Considero que este livro chega num momento bastante auspicioso para a humanidade. Ele foi escrito em 2020 em meio ao período de isolamento social para minimizar os impactos da pandemia de Covid-19. Neste momento, estamos passando por uma ampla desconstrução que envolve principalmente as esferas econômica e social de todo o planeta. Costumamos chamar períodos como este de "crises" e, apesar de todo o sofrimento que vem à tona, posso observar com bastante clareza a semente de um possível despertar coletivo. Uma situação como essa nos torna conscientes de que a vida está sempre por um fio. Estamos o tempo todo em perigo, na iminência de morrer. Mas, dentro de uma suposta "normalidade", não temos essa consciência. Seguimos distraídos com nossa imaginação a respeito da realidade, criando fantasias perigosas que nos distanciam do que é de fato real.

Uma pandemia que ocorre repentinamente e se sustenta por um período significativo de tempo, sem solução aparente, exige que encaremos o fato de que talvez não tenhamos um amanhã. Passamos a perceber com mais intensidade que o momento presente é o único que temos. E essa é a base do despertar, que expande a nossa consciência e amplifica a nossa sensibilidade para o que é real, tornando inclusive nossos dramas humanos cotidianos pouco relevantes.

Dediquei muitos anos da minha vida ao estudo da sombra e de sua integração, um estudo fino e importante que ficou como marca registrada de um grande ciclo do meu trabalho como mestre espiritual. Chegou o momento de eu completar essa etapa e relembrar que, por mais importante, significativo e fundamental que seja o trabalho com a "criança ferida" ou o "eu inferior", esse é apenas o início do processo de despertar. Isso porque o processo de integração ou purificação não tem fim. Depois de integrar aspectos de realidades passadas que bloqueiam os corpos sutis, a pessoa continuará como uma "usina de purificação de sombras" de experiências familiares, coletivas e transpessoais. Mas terá chegado à maturidade e não mais deixará que os seus corpos sutis sejam bloqueados.

Essa é uma reflexão importante e, a partir dela, podemos romper com a compulsão por métodos para curar dores emocionais. O foco, quando direcionado apenas à dor, mata novas realidades e nos impossibilita de viver a vida em sua plenitude. Isso gera autoengano e projeções ilusórias. A vida passa a ser vivida exclusivamente com a falsa expectativa de que, um dia, todas as dores serão integradas e a iluminação espiritual surgirá.

Todo esse conhecimento passado serviu para desbloquear os corpos sutis e nos preparar para, a cada momento da experiência vivida, conseguir perceber a realidade em sua totalidade, manifesta e não manifesta – ou seja, aquilo que é possível ser captado pelos sentidos no plano da matéria e o que não é. Para isso, é preciso começar a enxergar a realidade como ela de fato é. Tão logo consigamos isso, devemos tirar o foco da "integração das sombras" e

"Eu abandonei o passado,
estou pronto para o presente
e não anseio pelo futuro."
———

começar a viver a experiência da vida em sua totalidade, cocriando a realidade que merecemos. Só será possível fazer isso quando estivermos prontos para dizer: "Eu abandonei o passado, estou pronto para o presente e não anseio pelo futuro".

O acesso às dimensões de manifestação da realidade que estão além do aspecto material percebido pelos nossos sentidos físicos depende da presença e da desconstrução dos sistemas de crenças que limitam a nossa percepção. Somos levados a acreditar que somente o que podemos ver, ouvir, tocar, provar ou cheirar é real, e isso nos impede de acessar as realidades que não estão manifestas no plano material. Estamos falando aqui de entrar em contato com outro nível de consciência, em que podemos perceber a realidade manifesta e não manifesta dentro de cada momento.

O que chamamos de iluminação espiritual é, na verdade, a habilidade do ser humano, em estado avançado de percepção da realidade em suas dimensões manifestas e não manifestas, de estabelecer a plenitude – que se traduz na equanimidade em relação às diversas dimensões da existência. A partir daí, o Ser se expressa em sua magnitude dentro das múltiplas realidades que se apresentam. Não é a pessoa que se ilumina; ela recebe a luz do Ser. Quando a realidade que é percebida com a mente inferior é modificada, a Iluminação se torna possível.

Neste livro, vamos desmistificar esses temas e desconstruir as fantasias que foram criadas pela mente humana e impedem as pessoas de encontrarem o estado de plenitude dentro de si mesmas. Também vou contar algumas histórias de experiências transcendentais que podem trazer luz a esse sutil entendimento. Minha intenção é abrir caminho para que você também tenha as condições de acessar o campo das infinitas possibilidades que a vida lhe oferece todos os dias.

INTRODUÇÃO

—

Quando apresento aos meus alunos alguns conteúdos como os que preparei para este livro, normalmente surgem dúvidas como: "Será que eu estou pronto para estudar isso? Ainda tenho tantas questões não resolvidas, referentes tanto às minhas sombras quanto às dificuldades de relacionamento ou de realização com o meu trabalho... Como posso estar pensando em encontrar a plenitude em meio a tudo isso?".

Eu costumo fazer uma analogia do trabalho de autoconhecimento com alguém que está dormindo num quarto escuro. Esse quarto está todo bagunçado, cheio de "monstros", com muita sujeira. Quando a pessoa desperta e procura o interruptor para acender a luz é que ela consegue perceber onde se encontra. Aí então é hora da faxina, de colocar as coisas em ordem e espantar os "monstros". Mas esse trabalho muitas vezes parece não ter fim.

O próximo passo dentro dessa jornada é conseguir perceber que você não é a bagunça do seu quarto, mas a luz que está iluminando tudo isso. Entretanto, já notou como é difícil olhar diretamente para a luz? Machuca os nossos olhos e logo precisamos desviar o olhar. De qualquer forma, estou aqui para lembrar que você é a luz. Então este livro é para você, sim. É muito importante que você esteja consciente do local em que se encontra em sua caminhada de autorrealização, mas, independentemente de qual seja o seu ponto neste momento, saiba que a sua busca é a plenitude.

Quanto menos identificados com a nossa bagunça, com a nossa sombra, estivermos, e mais com a nossa luz, com a sabedoria, com o amor, com aquilo que nos ilumina, mais aprenderemos a viver em plenitude. Encontrar e sustentar um estado de plenitude é um processo necessário para períodos turbulentos como o que estamos atravessando neste ciclo do tempo. Teremos pela frente um longo trabalho de purificação, que vai além do âmbito individual. Estou trazendo o conteúdo deste livro neste momento porque é importante que você aprenda a estar conectado com a sua luz.

Faço parte de uma linhagem espiritual de *yogis* e me considero um *yogi* moderno. Tenho a consciência de que, no atual estágio da humanidade, é preciso que pratiquemos o yoga em todos os lugares do mundo, não apenas isolados em uma montanha. Não me refiro às práticas físicas, que são os aspectos que ficaram mais conhecidos no mundo ocidental, mas ao conceito que Patañjali traduziu como *Yogash chitta vritti nirodhah*: "A cessação das flutuações da mente". E é isso que me predisponho a ensinar a você a partir deste livro.

Com tudo isso, quero dizer que você não deve esperar o seu quarto estar todo limpinho para começar a se conectar com a sua plenitude. Esse é um passo necessário em direção à maturidade e vai ajudá-lo a seguir em seu processo de purificação e autotransformação.

*Yogash chitta vritti nirodhah.**

A cessação das flutuações da mente.

---

* Para ouvir o mantra, basta abrir o aplicativo do *Spotify*, clicar em "buscar" e em seguida no ícone de câmera, que fica no canto superior direito dentro do aplicativo. Aponte o seu celular para o *QRcode*, como se fosse tirar uma foto, e aguarde ser direcionado para o mantra gravado na voz de Sri Prem Baba. Você também encontra a gravação em outras plataformas de áudio como *SoundCloud* e *Deezer*.

1
TRANSITAR DO MEDO PARA A FÉ

―

Confiança na abundância

Não é à toa que *Plenitude* é a continuação do meu livro anterior, *Propósito*. Nessa última obra, sugeri um caminho para as pessoas descobrirem seus dons e talentos e manifestarem sua razão de existir neste mundo. Enfim, para encontrarem o sentido que as faz acordar todos os dias pela manhã conscientes da missão de sua alma neste plano material.

Mas mesmo quem encontrou seu propósito precisa dar um próximo passo: fazer com que ele seja autossuficiente para poder alcançar a realização. O propósito precisa ser uma fonte de prosperidade em todos os sentidos. Entenda que prosperidade não significa apenas ter certa quantidade de dinheiro na conta bancária e bens materiais acumulados. Prosperidade é ter as verdadeiras necessidades atendidas e, sobretudo, estar seguro e tranquilo com o fluxo da existência, que proverá todo o necessário a cada uma das áreas da vida. Sem essa consciência verdadeiramente ancorada em você, fica difícil estar em plenitude.

Agora, é preciso fazer uma distinção clara entre necessidade e desejo. Tem uma frase do Osho que explica um pouco essa contradição: "Procure perceber que os desejos são muitos, mas as necessidades são poucas. As necessidades podem ser satisfeitas; os desejos, nunca. Porque o desejo é uma necessidade que enlouqueceu. É impossível satisfazê-lo". Por outro lado, a linhagem *Sachcha*, à qual eu pertenço, tem uma afirmação mântrica para oferecer aos discípulos a confiança em relação ao fluxo natural da existência: "Na medida do possível, todas as suas necessidades serão atendidas".

Posso dar um exemplo para ilustrar melhor essa diferença entre o desejo e a necessidade. Pense em alguém que conseguiu comprar um carro com o suor do próprio trabalho e usa o veículo para ir trabalhar, levar a família para passear nos fins de semana e visitar os amigos. No entanto, imagine que essa mesma pessoa desperte o desejo de ter um carro de luxo. Obviamente, isso terá um preço e será algo muito mais dispendioso. O seguro será mais caro, haverá um maior consumo de combustível, um financiamento com prestações mais pesadas etc. Perceba que esse novo desejo traz consigo muitas novas preocupações, pois a pessoa precisará conseguir o dinheiro para dar conta de todas essas despesas. E o custo não será apenas monetário, pois será preciso trabalhar muito mais, e aquele tempo para passear com a família e visitar os amigos deixará de existir.

Prosperidade é ter as verdadeiras
necessidades atendidas e,
sobretudo, estar seguro e tranquilo
com o fluxo da existência,
que proverá todo o necessário a
cada uma das áreas da vida.

―――

Também é importante observar os motivos que despertaram o desejo por um carro de luxo quando o modelo básico já atendia todas as necessidades. Talvez a pessoa tenha deixado a porta da sua mente aberta para sentimentos inferiores como a inveja, a cobiça e até a luxúria. "Se o meu vizinho tem um carro desses, por que eu não posso ter? Com um carro de luxo, terei mais status e as pessoas me verão como alguém importante. Quem sabe aquela moça bonita, ao ver meu carrão, se interesse por mim?" Esses são desejos – não necessidades – que podem cobrar um preço que interferirá no próprio fluxo existencial dessa pessoa.

Veja bem, não existe mal nenhum em ter um carro de luxo, contanto que as circunstâncias sejam favoráveis. Você fez um bom negócio, recebeu uma herança ou um prêmio inesperado? Ótimo! Agora, sacrificar o precioso tempo de vida e se enrolar em preocupações para atender a um desejo não me parece uma boa ideia. Ao contrário, isso vai contra o fluxo natural da prosperidade. Porque, se o indivíduo não pagar as prestações do carro, pode vir a ser executado na Justiça e perder inclusive aquilo que já tinha e atendia às suas necessidades.

A prosperidade nos liberta de um dos maiores terrores da vida humana, que é o medo da escassez, a preocupação com a falta de dinheiro para pagar as contas, para cuidar da família, para comer etc. A prosperidade está presente quando o fluxo de abundância se manifesta de maneira tal que a pessoa deixa de se preocupar com dinheiro. Ela se liberta do medo de não ter as suas necessidades atendidas e tem plena confiança de que as coisas vão acontecer favoravelmente – porque as coisas acontecem, às vezes, como mágica.

A abundância é uma fonte infinita, e essa consciência vem da experiência de ter nossas necessidades atendidas espontaneamente.

E não estou falando apenas no âmbito material, mas também de alegria, saúde, felicidade, propósito. Deus* é prosperidade e abundância, e você tem o direito de acessar essa dádiva. Mas é importante checar se você acredita de verdade nisso. Porque, se sua visão de mundo for diferente, você viverá sua vida a partir de uma perspectiva que bloqueará o fluxo divino de abundância.

Sinto que, nesta fase da nossa jornada evolutiva na Terra, o ser humano precisa encontrar um jeito de criar riquezas e prosperar a partir do propósito. Se a prosperidade financeira for gerada a partir do propósito, não destruirá a natureza nem oprimirá e explorará outras pessoas. É muito importante alinhar o nosso propósito com o conceito védico do *dharma*. Essa palavra em sânscrito reflete toda uma filosofia que se pode passar anos estudando. Mas, resumindo, eu diria que *dharma* é a ação correta que adotamos como padrão para pautar nossas atitudes – que devem ser norteadas pelo princípio de que vivemos uma Unidade. Do ponto de vista dos conhecimentos espirituais védicos, tudo e todas as pessoas são uma coisa só. Então a minha ação não pode prejudicar, machucar ou agredir o outro, porque assim eu estaria gerando sofrimento para mim mesmo num futuro próximo. Tampouco posso destruir a natureza, pois também faço parte dela e, depois de algum tempo, estarei à mercê das consequências desastrosas do desequilíbrio ecológico. Sem falar no sofrimento que isso vai acarretar para milhares de pessoas que dependem dos recursos naturais para viver.

Esse conceito de *dharma* também é uma das matrizes daquilo que chamo de nova economia ou novo capitalismo. Eu devo gerar prosperidade para incluir mais pessoas na "roda da fortuna". O

---

* Neste livro, utilizarei várias vezes a palavra *Deus*. Com ela, me refiro àquele que olha através de você, a inteligência criadora que tudo permeia, o Deus interior.

meu trabalho pode criar oportunidades para mais gente. Posso produzir respeitando a natureza e ao mesmo tempo ajudar outras pessoas a alcançarem a prosperidade.

Desapegando do acúmulo para ser próspero

Conheci pessoas que eram muito ricas, mas continuavam muito pobres, pois passavam tempo demais com medo de perder tudo que tinham conquistado. Compreenda que a riqueza material não é necessariamente prosperidade. Existe uma diferença clara. Alguém que tenha conquistado riqueza material simplesmente porque acumulou um tanto de dinheiro pode acabar refém do medo de perder o que tem. Isso não é prosperidade. A prosperidade pode se manifestar mesmo que a pessoa não tenha tanto, mas tenha aquilo que precisa na hora em que ela precisa. Ela confia que tudo que precisar chegará na hora certa. Então, terá a tranquilidade de viver a vida com confiança, na certeza de que o Universo vai suprir as suas necessidades. E sempre supre.

A prosperidade é um dom do espírito, uma manifestação do Ser, do Eu Divino. Por isso, sinto que as pessoas que conseguiram dominar a matéria a ponto de acumular riquezas precisam seguir para o próximo estágio da sua jornada evolutiva, que é espiritual. Assim, poderão alcançar a plenitude.

Quem está aprisionado pela necessidade de acumular é uma vítima da condição humana, do ego disfuncional. Está enredado por roteiros idealizados pela mente, por fantasias a respeito do que é certo ou errado, do que é bom ou ruim, do que preenche ou não o vazio interior. A plenitude independe do que a pessoa tem. Pode se manifestar num rico, que mora num palácio, ou num indivíduo simples, que vive num barraco com chão de terra batida. Por outro lado, a miséria espiritual pode estar igualmente no coração de qualquer um, pois ela é psicoemocional.

Quando a morte realmente chegar, ninguém vai levar um grão de poeira sequer. Pode ter acumulado dinheiro para muitas vidas, mas na hora em que morrer não levará nada. E ainda pode deixar problemas para os herdeiros, que ficarão brigando pela herança, como temos visto em muitos casos. Além disso, é preciso compreender que, se as pessoas não tiverem trabalhado o suficiente espiritualmente, podem virar fantasmas apegados às coisas que conquistaram aqui.

A pessoa pode se tornar avarenta em relação ao que tem, se escondendo atrás dos bens materiais, usando-os como uma muleta. Isso se baseia na crença de que aquelas posses vão acrescentar valor à ideia de "eu" que ela tem. Quando o indivíduo não sabe quem verdadeiramente é, quando não se conhece, mas conseguiu conquistar certa quantia de dinheiro, ele pensa: "Sou alguém, consegui um carrão, moro numa mansão, isso me torna mais poderoso". O que ele tem se torna uma extensão de quem acredita ser. Mas isso não passa de uma falsa identidade.

É muito importante explicar esse desencontro entre prosperidade e acúmulo. Outra razão que faz as pessoas acumularem bens materiais é a ilusão de que, por meio deles, serão capazes de vencer a impermanência. Não se trata apenas de acreditar que, se ficarem doentes, terão como pagar por um atendimento médico de emergência. Elas creem poder arcar com os custos de uma ilusória vida eterna na matéria, esperando que a ciência consiga inventar – como vem tentando há algum tempo – um sistema de congelamento do corpo para poderem ressuscitar daqui a cem anos. Algo parecido com uma reedição das múmias do Egito. E, com isso, se acham capazes de comprar a eternidade, a imortalidade.

Outro exemplo disso é a corrida humana para conquistar Marte e outros planetas, pensando em garantir uma alternativa para quando se tornar impossível viver aqui na Terra. E, no entanto, viver aqui está ficando insuportável justamente por conta dessa exploração desenfreada de recursos naturais na busca por cada vez mais dinheiro e mais acúmulo. Perceba a contradição do que estou falando. Destroem a Terra para quem sabe poderem comprar a vida e o bem-estar em outro planeta.

Então, por que não paramos com esse consumo desenfreado e inconsciente enquanto ainda é possível salvar o planeta da destruição? O meio ambiente é um ponto importante para alcançarmos a plenitude. Temos essa fantasia de que somos eternos enquanto personalidades e podemos comprar a eternidade, o que é um grande equívoco. Conquiste a si mesmo, e você conquistará o mundo. Se quer conhecer Deus, conheça a si mesmo. Esse conhecimento é transmitido à humanidade há milênios, no mundo ocidental, desde os filósofos gregos, e, no Oriente, por meio das *Upanishads*, que são textos milenares que compõem a parte espiritual dos Vedas. Mas a base desse conhecimento é a mesma em todos os lugares: "Conheça a si mesmo". E, por extensão, o mestre dizia: "Conheça a si mesmo, e assim conhecerá o Universo".

É preciso chegar a um acordo com os desejos que nos levam a querer ter em vez de ser. Há um episódio contado por Paramahansa Yogananda, em seu livro *Autobiografia de um iogue*, que ilustra bem o que estou falando. Quando Lahiri Mahasaya se encontra com Babaji e este quer lhe dar a iluminação, antes é preciso criar a ideia de um palácio cravejado de pedras preciosas para Lahiri Mahasaya poder se libertar de um desejo que ele tinha. Ele recebe esse palácio internamente, porque precisa sentir que seu desejo foi atendido, mesmo que não de forma manifesta no plano material. Ou seja, o ego precisa ser cristalizado para depois se dissolver. Porém, se a pessoa não recebe a instrução correta, não está sendo guiada, não faz um trabalho espiritual adequado, pode se tornar vítima da compulsão por acumular. Ela, então, vai ficar se escondendo atrás disso, acreditando que, com todos os seus bens, o "eu" dela está ficando maior. Mas não está. Na verdade, é só uma ilusão. O indivíduo precisa entender que suas conquistas são só uma passagem. É preciso ir além, porque o que importa não é o que a pessoa tem, mas o que ela é.

Novo capitalismo

É preciso que um novo sistema econômico inclusivo se manifeste na Terra. A gente sabe que o capitalismo, em sua forma atual, tornou-se uma fonte de destruição, miséria e sofrimento. É um sistema que alimenta o medo da escassez, as disputas, as competições e faz a pessoa refém do eu inferior e de todas as fantasias que vão iludir o ego com uma falsa segurança. Estamos falando de um jogo sombrio que promove a escravidão. O capitalismo pressupõe o servidor e o servido, alguém produzindo e outro desfrutando de maneira desigual. E não estou fazendo apologia do socialismo, que é uma distorção do capitalismo, com bases muito parecidas.

A gente precisa entender mais profundamente o valor do dinheiro e perceber como ele pode ser divino, um poder neste mundo que, se sabiamente utilizado, pode facilitar tremendamente a nossa travessia pela Terra, gerando conforto e tranquilidade para a nossa evolução. O dinheiro é uma energia que se manifesta na matéria para poder estabelecer a troca entre as pessoas. Mas, na medida em que o falso eu se apropria dele, acaba projetando um valor que ele não tem. Alguns começam a acreditar que o dinheiro irá satisfazer todos os seus desejos e se confundem, entrando em jogos e disputas de egoísmo, ganância e consumo desenfreado. A própria destruição do planeta a que estamos assistindo é fruto desse capitalismo distorcido pela falta de consciência sobre o valor do dinheiro. No estágio de consciência em que a humanidade se encontra, o dinheiro é Deus para a maioria das pessoas.

Por isso, visualizo um novo capitalismo baseado no amor e no altruísmo. Nada contra a riqueza, que não necessariamente significa acúmulo. Mesmo porque isso depende do karma de cada um. A questão é não usar o dinheiro de forma egoísta nem se apegar a ele como se fosse uma máscara atrás da qual se esconder. O dinheiro é também uma energia divina que deve ser usada com muita sabedoria.

Para mudarmos nossa relação com o dinheiro, devemos fazer algumas reflexões. Ele pode possibilitar a criação de riqueza a partir do propósito. Então, entendo que, na medida em que a pessoa consegue ter consciência do seu propósito, o próximo passo será prosperar.

Existem pessoas que mudaram da água para o vinho a partir da descoberta de seu propósito, que faziam uma coisa e passaram a fazer outra. Houve uma descontinuidade, uma mudança radical de vida. Mas também há aqueles que fizeram apenas um ajuste, porque já estavam no lugar certo. O importante é ter consciência de que o nosso propósito é um serviço para o bem comum. A sua base é acordar valores humanos em nós mesmos para depois serem compartilhados com outras pessoas.

Por exemplo, um grande capitalista, mesmo no atual modelo em que vivemos, se tiver consciência do seu papel como empresário, poderá gerar empregos e oportunidades para muitas pessoas, que serão incluídas no fluxo da prosperidade. Ele poderá mudar a relação entre patrão e empregado, permitindo que os seus funcionários tenham um crescimento profissional inspirado pelo propósito. Assim, esse empresário estará se doando de verdade e não pensando em si próprio, em apenas acumular e ficar mais rico. Haverá um intercâmbio, porque ele ganhará dinheiro, mas também dará ao funcionário a oportunidade de ter as suas necessidades atendidas.

O que quero dizer é que essa troca poderá acontecer não só por meio do salário que o patrão paga ao empregado, mas também pelo reconhecimento do papel de cada um nessa relação, baseada no respeito e na consideração. Assim, todos estarão recebendo alimentos para a alma. Porque, se o patrão estiver consciente de seu propósito a serviço da humanidade, poderá ampliar a própria empresa e torná-la uma escola de autoconhecimento, abrindo caminhos para os seus funcionários aprenderem a meditar, por exemplo. Essa é a nova consciência que está se manifestando no mundo e não mais somente dentro de igrejas e centros espirituais, mas em organizações, empresas, casas, em todos os lugares.

Tendo acesso ao autoconhecimento, o empregado estará mais alinhado ao seu propósito e irá gerar mais riquezas para aquele organismo todo que chamamos de empresa. Porque, se não fossem as distorções, a essência do capitalismo seria gerar riqueza para distribuí-la. Isso gera uma confiança entre o patrão, que estará seguro da produção, e o empregado, que sabe que receberá o seu salário gerado pela riqueza.

Dessa forma, problemas mentais como inseguranças e medos que conturbam a vida dos trabalhadores irão desaparecer. Porque não haverá a necessidade de a pessoa ser instada a competir, a ser o primeiro entre os funcionários, a passar por cima dos outros. Agora, para isso acontecer, tem que haver, tanto no patrão quanto no funcionário, uma abertura para receber a prosperidade, a abundância – e é aí que entra esse trabalho mais profundo de autoconhecimento.

Confiança na vida

A confiança de ter nossas necessidades atendidas é fundamental para que possamos alcançar a plenitude. O ego tende a se prender à lógica cartesiana em que um mais um é sempre dois. Assim, é incapaz de entender determinados fenômenos sincrônicos que acontecem além da razão e que podem atender às necessidades da pessoa. Por exemplo, alguém quer ou precisa viajar e não tem dinheiro, mas, inesperadamente, contrariando todas as expectativas, vê surgir diante de si um trabalho ou alguma situação que viabiliza os recursos para atender à sua necessidade de realizar a viagem. Então isso é o que chamo de fluxo da prosperidade, que pode se manifestar em todas as áreas da nossa vida.

Posso dar um exemplo desse fluxo natural de prosperidade para atender às nossas necessidades a partir de uma experiência vivida por mim. Uma vez, meu guru Maharajji me chamou à Índia depois que iniciamos nossa relação mestre-discípulo. Naquele momento, eu trabalhava como terapeuta em São Paulo. Uma viagem dessas, de repente, significava muitos gastos financeiros, e, naquele momento, eu não tinha os recursos para atender o chamado do Maharajji. No entanto, como tinha a certeza de que era importante atendê-lo, comecei a fazer os preparativos para viajar, mesmo sem ter os recursos disponíveis. Já muito perto da data que eu havia programado para ir encontrar meu mestre, uma amiga inesperadamente recebeu uma grande quantia de dinheiro – e, sem eu pedir, me presenteou com 5 mil dólares. Perceba que, nesse caso, mesmo sem ter o dinheiro, eu me organizei para fazer essa viagem, pois sabia que era o que deveria ser feito para meu caminho de autorrealização. Estando com confiança plena para que a realidade se manifestasse da melhor forma possível, fui atendido pela prosperidade.

Essa viagem não programada teve ainda outros desdobramentos que colocariam a minha confiança no fluxo em xeque. Depois de conseguir o dinheiro e chegar a Rishikesh no dia combinado, fui direto para o *ashram* Sachcha Dham encontrar o Maharajji, muito feliz e satisfeito por ter atendido ao seu chamado e por o Universo ter conspirado a meu favor. Ao chegar lá, me deram a notícia de que o Maharajji tinha viajado. E o pior: não tinha data para voltar. Entrei em pânico.

Quando a gente se vê numa situação dessas, do alto da importância que atribuímos a nós mesmos, a tendência é nos sentirmos enganados. Logo a indignação toma conta, abalando nossa confiança. Nesse roteiro mental ilusório, a próxima personagem a surgir dentro de nós é a vítima, com suas consequentes lamentações.

Sentia-me triste com o desfecho de uma história que tinha começado tão bem. É impressionante notar que, quando somos contrariados em nossos desejos, esquecemos rapidamente todas as coisas boas que já vivemos – no meu caso, o fluxo de amor que vinha recebendo continuamente do Maharajji. Criei a expectativa de um encontro com grandes instruções espirituais, mas tudo terminou com uma porta fechada e a notícia de que o meu mestre havia viajado e se esquecido de mim.

Com o ego em frangalhos, encontrei um amigo, o Sr. Manoj, que me disse: "Maharajji é um santo. Ele é onisciente. Ele sabe que você está aqui e vai dar sua bênção para você". Caminhamos por cerca de duas horas. Na volta, passamos por um templo próximo ao *ashram* e nos disseram que Maharajji voltaria para me receber. Manoj e eu começamos a rir e a pular como crianças.

E, assim, o processo de transmissão mestre-discípulo teve continuidade. Mas não antes de meu ego se transformar num trapo para me fazer entender que a confiança tem que ser permanente. Ela não pode se manifestar só quando as condições nos são favoráveis. Porque, senão, é o ego, não a verdadeira confiança, se manifestando.

A confusão entre barganha e confiança

Uma pergunta importante a fazer para entender a plenitude é: em que ponto a pessoa começou a barganhar com a vida? Porque a barganha é diferente da confiança, que está intimamente relacionada com a entrega. É preciso que cada um restabeleça a conexão com a própria essência para alcançar a confiança, que é uma qualidade proveniente do coração. A mente jamais pode confiar, porque sua natureza é a dúvida, é o questionamento. A mente tenta confiar e pensa que confia, mas o que ela chama de confiança é somente uma barganha. É um jogo que funciona assim: "Eu confio, desde que aconteça do meu jeito. Eu confio se a minha meta for atingida. Eu confio se os acontecimentos forem de acordo com os meus planos".

Mas a vida é cheia de surpresas, um mistério a ser desvendado. Por isso, só pode ser desfrutada com o coração. Já a mente é previsível e linear e quer que as coisas funcionem dentro de uma lógica. Se a vida fosse previsível, tudo bem. A mente poderia facilmente dominá-la, controlá-la, e a barganha significaria a mesma coisa que confiança. Pois, assim, saberíamos matematicamente quantos segundos seriam necessários para atravessarmos uma sala e chegarmos até a porta. Isso é o aspecto previsível das coisas, que a mente domina. Mas afirmo que a vida é um mistério que somente um coração amoroso pode compreender. Nesse trajeto predeterminado de atravessar a sala, podem acontecer diversas situações imprevisíveis. A pessoa pode cair, uma ventania pode abrir as janelas e ela ter que voltar para fechá-las, entre outras coisas. Isso faz parte do mistério, e o previsível não pode controlar esses fenômenos. Mas é graças a eles que o ser humano pode desenvolver a confiança.

A confiança é a fé de que, mesmo que as coisas não aconteçam de acordo com as previsões da mente, está tudo certo. Assim, a pessoa sente o lampejo da verdadeira confiança e caminha numa direção que vai lhe trazer crescimento e coisas boas. É preciso entender que uma situação negativa é o julgamento provocado pela quebra da expectativa de uma mente previsível. Se a pessoa ainda estiver identificada com o falso eu, com a máscara, que chamo de mente negativa, uma hora ela vai se desesperar: "Mas isso não aconteceu da forma que eu estava esperando!". Essa é a falsa ideia de confiança.

A pessoa só continuaria entusiasmada se as coisas acontecessem como sua mente previa. Isso é uma confiança artificial, fabricada pelo falso eu, que precisa cair, porque não é real. Uma confiança verdadeira é aquela que brota do coração amoroso e que aceita o mistério da vida. Assim, mesmo que ainda não tenha desvendado o sentido de um acontecimento negativo, o indivíduo compreenderá que se trata do jogo divino. Quem sabe exista um ensinamento importante para aquele que sofreu uma perda ou teve uma expectativa frustrada? "Ok, está tudo certo. Vou seguir em frente."

Então, é importante refletir sobre quais aprendizados as diversas situações da vida nos trazem. Porque entendo que elas surjam para aumentar nossa confiança, nossa fé e nosso amor. Enquanto não tivermos uma fé inquebrantável e uma prática espiritual ininterrupta, não vamos conseguir alcançar a plenitude. Por isso a vida está constantemente trazendo situações que nos oferecem a oportunidade para aumentarmos nossa fé, nossa entrega e nossa confiança.

Infelizmente, o que a gente vê em muitas pessoas religiosas é uma barganha com o divino. "Confio em Deus se ele me der isso ou aquilo, se eu tiver a garantia da salvação e do paraíso celeste." Ora, isso é uma falsa confiança, porque Deus tem seus mistérios – e nós não temos como desvendá-los. Então, algo imprevisível acontece na nossa vida, como a perda prematura de alguém que amamos, e experimentamos um sentimento de injustiça. Existe uma frase do *Guia Pathwork* que diz: "A justiça divina se vale da injustiça humana para realizar a justiça máxima". Isso é fabuloso. As hierarquias divinas acabam se valendo das injustiças humanas para realizar a justiça. A gente não tem como entender por que uma pessoa jovem morreu desse ou daquele jeito. De repente, tinha um karma, uma história, uma dívida de vidas passadas que foi cobrada ali. Nunca saberemos.

Entendo que devemos procurar, sim, realizar a justiça dos homens, com base na ética, naquilo que conseguimos entender do *dharma*. Mas temos que entregar, aceitar e confiar no fluxo da existência. A impermanência nos mostra que a gente não consegue mesmo controlar as coisas. Tudo que Deus criou

Não é porque uma nuvem escura passou que o céu vai deixar de ser céu. Não é porque um maremoto sacudiu o oceano que o oceano deixará de ser oceano. Então, à medida que realmente aceitamos isso, vamos aprendendo a confiar que somos o céu, que somos o oceano.

———

neste plano material tem prazo de validade. Como a gente não sabe quando nem como vai desencarnar, só nos resta mesmo aceitar. E quando a aceitação acontece, a pessoa se liberta do controle dessa máscara criada pelo falso eu e deixa de barganhar, aumentando a fé e a confiança inabalável em si mesma.

Não é porque uma nuvem escura passou que o céu vai deixar de ser céu. Não é porque um maremoto sacudiu o oceano que o oceano deixará de ser oceano. Então, à medida que realmente aceitamos isso, vamos aprendendo a confiar que somos o céu, que somos o oceano.

A confiança é uma fragrância do ser, uma qualidade da alma e uma expressão genuína da nossa verdadeira natureza. E a pessoa não confia porque está distante de si mesma, sonhando e acreditando ser uma nuvem, não o céu. Nesse estado de identificação com a mente ou com a máscara, o indivíduo só confia se as coisas acontecerem do seu jeito. Mas nem sempre será assim, porque a lei da impermanência atua sempre e transforma todas as coisas o tempo todo. Então, preso à ideia de que as coisas precisam acontecer da maneira que o seu ego deseja, ele se frustará inevitavelmente.

Quanto mais alguém se aprofunda na via espiritual, menos as coisas acontecem de acordo com os planos do seu ego, que serão destruídos. Quando nos aproximamos da verdade, nossos sonhos são despedaçados. Esse é o treinamento para que a verdadeira confiança brote no coração. Parece difícil e até mesmo cruel, mas é simplesmente uma mudança de perspectiva.

Se a pessoa está identificada com as nuvens, tudo é difícil. Porque ela vai se desesperar com as nuvens que passam o tempo todo. Ficará correndo atrás delas, perdida. Mas, a partir do momento em que se identificar com o céu, todo o sofrimento irá desaparecer instantaneamente. É preciso que haja uma mudança de foco. A plenitude está relacionada com a entrega, a confiança e a liberdade.

Você se sente aprisionado e quer sair disso. Mas é aí que está o problema.

Isso acaba se tornando uma dificuldade, porque a pessoa se sente presa e quer ser livre, ter fé e confiança. Porém, na verdade, está querendo tornar-se algo diferente daquilo que é. Olhe só que coisa estranha; o indivíduo quer ter fé, mas já é a fé. Quer ser livre, mas já é livre. Essa questão precisa ser compreendida. Não é uma questão de acreditar, mas de ser. Sua consciência está encolhida, rebaixada. Assim, ele tem essa sensação de aprisionamento, de impotência, de que não tem fé nem liberdade.

Esse aprisionamento mental faz com que o ser humano corra atrás do poder, pensando que quanto mais coisas tiver, mais livre será. Essa sensação de poder ilimitado traz um grande conforto, e ele passa a ter fé no dinheiro que ilusoriamente dá aquilo que ele supõe precisar. Isso cria uma ideia distorcida de liberdade. Por isso as pessoas muito materialistas acabam se tornando dependentes dos seus desejos, acreditando conseguir um poder ilimitado por meio da matéria. Assim, criam um apego à falsa sensação que o instrumento monetário possibilita.

Mas existem outras coisas que também proporcionam essa falsa sensação de liberdade. A droga provoca o mesmo efeito, e por isso seu consumo tem crescido tanto no mundo. É o falso brilho que faz a pessoa se sentir poderosa, responsável pela aura de sedução de cargos, poder político, luxúria – tudo alimentando o fogo da sensação de "eu posso, sou livre e tenho tudo". Mas o que esse ser está buscando é a mesma coisa que um buscador espiritual. A sensação de experienciar o infinito, o eterno, o nirvana, a plenitude. E quanto mais apegado à matéria, menos acreditará na possibilidade do nirvana. Por que vou procurar outra coisa se já tenho tudo de que preciso?

Essa é uma grande ilusão, uma armadilha de *maya*. Muitas pessoas sabem que são infelizes, mas estão com a consciência tão rebaixada que nem conseguem perceber a própria infelicidade. Às vezes, basta-lhes expandir um pouco a consciência para começarem a perceber que algo está errado. Quando falo assim, podem pensar que me refiro a um grande político ou a um milionário que alcançou satisfação material, mas isso vale para todos. Porque, tirando a diferença de proporções, o ser humano em geral funciona do mesmo jeito, está sempre à procura de uma meta, sempre querendo realizar algo. Porque acredita que, se realizar esse algo, se essa meta se concretizar, então será feliz. Esse é todo o problema, a idealização de querer ser faz a pessoa perder a conexão com o momento presente. Ela deixa de ser para querer ser. Desejar ser livre a impede de ser livre. Almejar a fé a impede de ter fé. Querer amar a impede de amar. Estou dizendo que tudo isso é uma questão de foco.

Se o indivíduo está identificado com o eu inferior, se tornará o eu inferior, e então estará em uma grande prisão de segurança máxima. Esse é o estado de rebaixamento da consciência. Por outro lado, identificando-se com o Ser, a pessoa se torna livre e iluminada. *Brahman* é a realidade subjacente em todas as consciências. Para conhecer essa verdade, devemos purificar a mente e reconhecer o Ser como nosso próprio ser. É uma mudança sutil, porém radical e profunda. As pessoas estão viciadas em se identificar com a própria sombra, e eu estou dizendo: mude o foco.

2
ACOLHER TODAS AS PARTES NO CORAÇÃO

Plenitude e contentamento

A plenitude é um estado de contentamento da alma. Assemelha-se ao significado de *santosha*, uma palavra sânscrita que expressa uma felicidade que não depende mais de nada lá fora, porque o interior se harmonizou com o exterior. A plenitude interior está em harmonia com o que está acontecendo fora, e a pessoa pode relaxar profundamente.

Para alcançar *santosha*, é necessário remover do nosso sistema os pontos de ódio, que são pactos de vingança contra a vida. O ódio nasce das dores que experimentamos ao longo da vida e com as quais ainda não pudemos chegar a um acordo. Essas marcas nos tornam prisioneiros de traumas do passado. Essa identificação com o passado é um "não" para a vida e seu fluxo natural. Mas, em essência, somos o "sim" para a vida que permite a manifestação da plenitude que nos habita. Na realidade, já somos a plenitude, mas existe outro tempo dentro de nós – por conta das experiências de dor que vivemos com os choques de desamor – que impede a manifestação da nossa verdadeira natureza plena.

Ao longo da nossa vida, com o foco mais ajustado àquilo que pensamos ser a realidade, acabamos por criar capas que encobrem nossa plenitude. Nós somos um "sim" para a vida, mas escondemos essa essência com "nãos", que são protestos contra nossas experiências desagradáveis. Essa é uma forma equivocada que encontramos para chamar a atenção na tentativa de reparar o passado e fazer com que nossa existência seja diferente. Todos anseiam que a vida lá fora seja mais generosa, mais amiga e diferente do passado que nos machucou, mas por conta disso ficamos presos ali. Então, o caminho para a experiência da plenitude é remover essas capas que encobrem nosso entendimento para podermos nos libertar dessa dor.

Para isso, precisamos ter disposição de conhecer a nossa história e nos dedicar ao processo de autoconhecimento com o objetivo de identificar os "nãos" que nos habitam – e cuja origem, na maioria das vezes, são sentimentos guardados e negados, que criam a identificação com histórias ilusórias.

Existe um mantra budista que nos dá a pista para essa liberação do passado e o mergulho interior no presente.

Gate gate paragate parasamgate bodhi svaha.

Vá, vá, vá além, vá além do além, desperte para a iluminação.

Gate gate paragate parasamgate bodhi svaha.

———

Vá, vá, vá além, vá além do além, desperte para a iluminação.

Ir além significa se desapegar dos "nãos" que são empecilhos para alcançarmos um estado mais elevado de consciência. E, quando o mantra fala em despertar para a iluminação, se refere a algo inerente, que já está em nós. Assim, podemos facilmente identificar essas obstruções à plenitude. Basta a gente olhar para a mandala que é a vida e se dispor a ir além na integração das diferentes áreas que vivenciamos durante a existência: profissional, financeira, sexual, afetiva, fraternal e familiar, física e espiritual.

Então, precisamos fazer um autodiagnóstico sincero em cada uma das áreas da vida. É preciso observar em quais delas nos sentimos abençoados porque as coisas estão fluindo e em quais existem travas que obstruem a nossa plenitude. Se o "sim" está se manifestando, seja na área profissional, financeira, sexual ou afetiva, haverá contentamento. Mas, por outro lado, se existem setores da nossa vida identificados com o "não", é porque ali existem pactos de vingança que precisam ser removidos. E, se não atuarmos para removê-los, teremos a sensação de estar caindo repetidamente no mesmo buraco.

Assim, a pessoa se sentirá uma eterna vítima de forças inconscientes sobre as quais não tem domínio. Situações externas poderão surgir inesperadamente, fazendo com que ela não consiga progredir em determinadas áreas da vida. Ela vai se sentir azarada, amaldiçoada, porque as coisas não andam. Então, nessa área em que existem obstruções, é preciso fazer um trabalho mais profundo de identificação desses "nãos" e das crenças que o sustentam.

Por exemplo, uma pessoa pode ser bem-sucedida profissionalmente, mas um desastre afetivamente. Ela pode ter desbloqueado a área profissional, reconhecendo seus talentos e dons, mas não consegue se relacionar adequadamente com a pessoa que ama. Ela tem carinho, tem amor, mas é travada sexualmente e não consegue sentir prazer. Seja por culpa ou limitação, em razão de uma série de crenças, de traumas que fazem com que ela diga "não" para essa expressão da consciência. Porque todas as áreas da nossa vida são expressões da nossa consciência.

Estou falando de uma plenitude global, que é dizer "sim" a todas as áreas da nossa vida. Porque o que nós almejamos é estar bem e contentes em relação a tudo. E o caminho para nos sentirmos plenos é um movimento que começa com a passagem da consciência de quem achamos que somos para a de quem realmente somos.

Vou propor aqui um exercício meditativo para você entender. Observe a forma de uma mandala qualquer.

Você constatará que tudo está conectado dentro da sua geometria para formar o todo. Tudo converge para o centro. Agora, visualize seu coração como uma mandala sem deixar de fora nada que esteja relacionado à sua vida. Elimine a separação e o julgamento em relação a sexo, amor, amizade, dinheiro, família. Nessa visualização, a gente pode dar uma geral em cada uma das áreas da vida, trazendo tudo para o coração.

Se existe oposição ou julgamento em alguma área, é porque ali há uma contradição, uma separação. Portanto, há um trabalho a ser feito naquela área da vida. A sua mandala do coração está excluindo alguma coisa, e assim a unidade da sua forma está comprometida. A negatividade vem por meio daquilo que você está negando. Então, trate de incluir esses aspectos que estão sendo negados, acolha todos eles dentro da mandala, porque o encaixe acontecerá naturalmente.

Plenitude é um estado de aceitação, não de oposição às coisas. É estar inteiro em todas as áreas da vida. Devido a crenças limitantes que foram instaladas ao longo da nossa vida por meio da cultura, da religião, da sociedade, acabamos criando muitos preconceitos em relação ao que é bom ou ruim, santo ou profano, certo ou errado. Tornamo-nos reféns de uma série de rótulos, conceitos e preconceitos. Isso acaba sendo um grande obstáculo para a realização da plenitude, porque a gente gera separações e não consegue formar a mandala existencial.

Há uma oração védica que reflete a plenitude como esse estado de positividade e perfeição completa para a vida.

Om purnamadah purnamidam purnat purnamudacyate purnasya purnamadaya purnamevavashishyate.

Isso é perfeito, aquilo é perfeito. Do perfeito, se origina o perfeito. Receba o perfeito do perfeito e somente o perfeito permanece.

Om purnamadah purnamidam purnat purnamudacyate purnasya purnamadaya purnamevavashishyate.

Isso é perfeito, aquilo é perfeito.
Do perfeito, se origina o perfeito. Receba o perfeito do perfeito e somente o perfeito permanece.

Estamos falando de um estado em que a perfeição divina visita o humano. Isso é possível de fato quando alguém está suficientemente maduro para se tornar um canal dessa perfeição divina. Alcançando essa maturidade, é possível evocar a presença divina dentro de nós. Os *yogis*, graças aos Vedas, sabem que não há separação entre o divino e o humano, entre o espírito e a matéria. A subcultura da sociedade materialista infunde uma falsa realidade, uma falsa religiosidade, uma falsa ideia de progresso e uma falsa maneira de viver em sociedade.

Esse é o meu entendimento de autorrealização. A entidade humana tem, no mínimo, duas dimensões: a humana em si, que chamo de horizontal, e a divina, que chamo de vertical. Autorrealização é quando o humano pode, por meio de uma escolha consciente, colocar-se na vertical e experimentar a perfeição divina. É necessário encontrar um ponto de equilíbrio entre o humano e o divino. É nesse equilíbrio entre nossa divindade e nossa humanidade que está a plenitude, a liberdade de ser o que se é para poder navegar nas diferentes frequências entre o humano e o divino, sem se apegar a nada. Isso só é possível quando você tem suficiente humildade e aceitação de tudo, sem julgar, sem criticar, sem condenar.

Então, para experimentar esse estado de plenitude, é necessário fazer uma limpeza ou uma purificação das crenças limitantes. Este é o ponto de partida: desconstruir o sistema de crenças que gera preconceito, separação e sofrimento. O estado de plenitude está relacionado à superação do sofrimento. Isso não quer dizer que alguém que tenha alcançado a plenitude não vá sofrer novamente. Qualquer um que ainda esteja na dimensão humana, horizontal, poderá vivenciar situações desafiadoras, mas será capaz de acolher esse sofrimento com sabedoria. Terá a consciência de que o sofrimento que chega é um instrumento para ampliar a compaixão por si mesmo e por todas as outras pessoas. Tudo será acolhido como uma parte nossa, sem negação da imperfeição. Você aceita tudo e recebe na mandala do coração. Mas, se algum sentimento ainda preso ao tempo psicológico de passado e futuro continua querendo não se encaixar, coloque-o no caldeirão do amor, que transforma e transmuta tudo. Faça essa alquimia acontecer e depois encaixe novamente esse sentimento transmutado na mandala para que ela não fique incompleta.

O amadurecimento do desejo

Podemos dizer que a plenitude se dá quando estamos conscientes de quem realmente somos. É como despertar de um sonho ilusório para a verdade do nosso Ser. Ela realiza nosso propósito, mas está além dele, porque é um estado de contentamento interior. Aos poucos, a plenitude se manifestará, não importa o que esteja acontecendo conosco no mundo exterior. As coisas se harmonizam, enquanto os desejos são colocados de lado e caem como as frutas maduras das árvores. Quando você alcança essa maturidade, começa a relaxar internamente na impermanência e na incerteza. Aprende a confiar no fluxo da vida e deixa de vê-la como uma inimiga que vai machucá-lo, puxar seu tapete, traí-lo e reeditar aquelas dores que você já experimentou. Assim, você vai se curando e se libertando de traumas do passado para se estabelecer no presente.

É preciso perceber que os traumas de agora são sempre reedições daquilo que aconteceu lá atrás. Enquanto não são resolvidos, ficam se reeditando na vida adulta, porque a gente carrega uma esperança mágica de que dessa vez as coisas serão diferentes e que existe sempre uma possibilidade de cura e transformação.

O amadurecimento do desejo é um processo de descondicionamento da ideia de que a felicidade está lá fora e que precisa ser conquistada. Posso afirmar que o desejo amadurece quando você chega a um acordo com ele e deixa de querer buscar a felicidade e o contentamento externamente.

Essa maturidade chegará para cada um em diferentes momentos da vida. Conforme a pessoa se permite viver as experiências e até mesmo realizar determinados desejos, vai descobrindo que o contentamento não depende de nada de fora, porque é um estado interior. É um preenchimento interior que se manifesta quando ela consegue ser ela mesma. E venho repetindo isso de diferentes maneiras para que você possa assimilar.

O desafio dos relacionamentos

Uma das principais fontes de sofrimento na nossa vida são os relacionamentos. Portanto, no âmbito das relações humanas, somos constantemente desafiados para poder alcançar a plenitude. Existe uma necessidade básica de sermos amados, e acabamos por desenvolver um mecanismo, uma máscara, para podermos conseguir tirar do outro aquilo de que a gente precisa. Queremos forçar o outro a nos amar. Então, acabamos nos condicionando a uma manipulação do outro a partir do uso de máscaras. Eu finjo que sou do jeito que o outro espera que eu seja para que ele goste de mim. Isso acontece mecanicamente, mas acaba se transformando numa das nossas maiores fontes de angústia. Permanentemente interpretando um papel para agradar o outro, não conseguimos relaxar e acabamos pagando um preço alto por isso.

Em qual momento do dia você se sente mais relaxado e à vontade? Eu brinco que é quando estamos de pijama, porque, nesse momento, a pessoa está relaxada e à vontade consigo mesma. Ou seja, todo mundo busca esse estado de relaxamento e espontaneidade de poder ser quem é. Só que, nos relacionamentos, é muito raro quem consiga ser espontâneo, porque nos agarramos à máscara para podermos continuar sendo aceitos, para continuar agradando. Assim, é difícil conseguir ser quem somos verdadeiramente. As pessoas agem assim para evitar cair novamente naqueles pontos de dor. Não querem encostar nas feridas da exclusão, da rejeição e da humilhação que ainda não foram devidamente cicatrizadas e curadas. Os traumas que carregamos são essas contas abertas com o passado que em algum momento vamos precisar resolver para virar a página e, aí sim, manifestar a plenitude, que só é possível quando saímos do estado de sonho e despertamos para quem somos verdadeiramente.

Como eu já disse várias vezes, a plenitude só é possível aqui e agora. Enquanto a consciência estiver presa ao fluxo do tempo psicológico do passado e querendo que o futuro seja diferente do que já foi, não será possível nos tornarmos plenos. O passado precisa ser reduzido a nada para abrirmos novos caminhos à nossa plenitude.

O perigo das idealizações

As crenças limitantes que nos são incutidas ao longo da vida criam em nós a tendência de idealizarmos as coisas. Nossa mente produz roteiros de vários pequenos filmes, em que as situações e as personagens são idealizadas conforme nosso desejo ou querer. O indivíduo se prende à ilusão de que, para ser verdadeiramente feliz, é preciso que as coisas sejam assim. Tudo funciona como seu roteiro ilusório mental predetermina. Isso é uma idealização. Mas quando o roteiro muda naturalmente (porque sempre mudará, indiferente às nossas vontades), vem a sensação de fracasso, de sofrimento, de frustração. Consequentemente, o sujeito se sente mais distante da plenitude, cada vez mais inatingível por quem ainda está preso às suas imperfeições humanas.

Enquanto estivermos em um corpo humano, estaremos sujeitos aos seus limites. A gente precisa mesmo ir ao banheiro, comer e um monte de outras coisas, porque a matéria tem essas limitações. Mas a plenitude se manifesta não quando você se opõe a essas imperfeições e limitações. Pelo contrário, você acolhe com serenidade as suas imperfeições. Quando está pronto para aceitá-las, sem querer estar acima delas, naturalmente você as integra e transcende. Mas, na medida em que você se coloca acima delas e se recusa a aceitá-las, porque o seu orgulho e a sua vaidade não permitem, aí estará criando uma barreira que crescerá à sua volta, se tornando algo que impedirá o seu desenvolvimento humano e espiritual.

A fragmentação mental separa e alimenta a dualidade. Então, o dilema criado pelo fluxo constante de pensamentos duais (que também podemos chamar de julgamentos) gera uma contradição, que fará com que os problemas tendam a crescer. Isso inevitavelmente o tornará refém do sofrimento. O caminho da plenitude é acolher tudo, levar para o coração e entregar para o fogo do amor. Assim, a transformação que você procura para alcançar a plenitude acontecerá naturalmente.

O caminho da plenitude é acolher tudo, levar para o coração e entregar para o fogo do amor.

———

A reeducação do eu inferior

Quando falo em aceitação das nossas imperfeições, não estou falando de nos acomodarmos aos nossos erros, mas de provocarmos uma transformação natural consciente. A aceitação das nossas imperfeições passa por aquilo que foi chamado por Eva Pierrakos, criadora da metodologia Pathwork, de um caminho de "reeducação do eu inferior", que está educado por todo um sistema ancestral para agir de uma determinada maneira. Na verdade, ele está condicionado a reagir – às vezes, até de maneira violenta, quando se sente ameaçado. Porque o nosso eu inferior atua a partir de valores como a arrogância, o medo, a inveja, a luxúria e o orgulho. É ele quem escreve os roteiros idealizados de como devem ser as coisas, pois está ancorado numa ilusória sensação de segurança a partir da satisfação dos desejos. Porém, se alguma coisa não sai como o previsto (e isso sempre acontece), vêm as reações que desencadeiam processos de sofrimento para o ator que interpreta o roteiro e todas as personagens à sua volta.

A arrogância, por exemplo, que é um aspecto do orgulho, ensina ao ator que interpreta o roteiro que, se ele reagir de determinada maneira, conseguirá proteger a personagem (sua personalidade) de uma humilhação, de uma vergonha. Então, ele se coloca acima dos outros, porque assim se sentirá protegido. Mas, à medida que a pessoa vai expandindo seu conhecimento, compreende que esse não é o caminho. Ela terá consciência de que essa arrogância está a serviço de protegê-la do choque de uma humilhação, mas que as consequências certamente não serão agradáveis. Então, poderá mudar sua reação dialogando internamente, num processo de reeducação do eu inferior que algumas linhas espiritualistas chamam de doutrinação. Poderíamos dizer ainda que a personagem começará então a fazer mudanças conscientes nesse roteiro ilusório.

Em vez da reação à vulnerabilidade alimentada pelo orgulho, o caminho é acolher essa fragilidade. Entender que, às vezes, é preciso viver alguma situação desconfortável, em que ficamos sem defesa. Passaremos naturalmente por situações difíceis, mas está tudo bem. Nem sempre a pessoa será amada como deseja ou considerada pelos outros no grau pretendido, talvez possa vir a ser até desrespeitada, mas terá que aprender a lidar com a tristeza e a dor. Em vez de fugir por meio de uma reação do nosso eu inferior, é preferível respirar essa dor de maneira tão profunda que, em algum momento, ela deixará de incomodar. Acolhendo essa dor, esse desamor, esse desrespeito, podemos transformá-lo. Não se importe com a opinião do outro. Não queira agradá-lo deixando de ser quem você verdadeiramente é. Agindo assim, você estará se agarrando às máscaras que escondem seu verdadeiro Ser.

Veja que estamos falando de um processo de integração das várias partes da nossa personalidade. As máscaras criadas pelo eu inferior podem cair a partir da aceitação da dor, do desamor e das nossas imperfeições. Assim, tudo vai para a mandala do coração, iluminando o caminho à plenitude.

Integrando a sexualidade à mandala do coração

Um dos pontos mais delicados para o desenvolvimento espiritual, que nos leva à plenitude e precisa ser transformado, é a sexualidade. Isso porque esse é um aspecto da consciência que se move em direção à fusão com a nossa mandala do coração que, no entanto, acabou se transformando num veículo da sombra por não ter sido devidamente integrado. Justamente por essa razão a sexualidade foi proibida em *ashrams*, escolas espirituais e mosteiros. Por dar passagem a esse aspecto sombrio, transformou-se num poder gerador de catarse e agitação, e isso mostra que o ser humano não está suficientemente pronto para lidar com ela em ambientes espirituais.

A sexualidade pode ativar conteúdos sombrios com os quais o buscador ainda não está preparado para lidar – são poucos os seres humanos preparados para lidar com essa parte escura do sexo. Entre seus aspectos mais temidos, o maior deles é a luxúria, que pode ser interpretada principalmente como obsessão pelo prazer sensorial, que é como uma âncora que impede a ascensão espiritual.

A energia sexual em si é o combustível para a ascensão. Portanto, o comedimento sábio ou "castidade inteligente" (aquela que nasce da compreensão e é desprovida de repressão e fanatismo, independentemente de haver relação sexual ou não) produz a nutrição do corpo (especialmente do sistema nervoso – plexos e cérebro) e da mente. Essa nutrição aumenta a memória e a capacidade de compreender as sutilezas da realidade espiritual. Assim, a sexualidade em geral acabou sendo reprimida ao longo da história nesses ambientes espirituais. Mas é justamente essa repressão que tem causado tantos problemas.

Na verdade, a sexualidade é um poder da consciência que precisa ser direcionado e sabiamente alinhado ao *dharma*. É a energia primitiva que se move em direção à fusão, possibilitando a perpetuação da nossa espécie no planeta. Mas é também uma forma de celebrar a vida, de comungar o prazer. Se esse aspecto importante da nossa existência estiver harmonizado com a consciência da ação correta (ou seja, do *dharma*), poderá se transformar numa forma de prática espiritual profunda. Na realidade, a sexualidade é algo simples que, ao longo da história humana, foi reprimido e condenado, e por isso tornou-se tão complexo.

Podemos comparar a nossa sexualidade a um brinquedo ganho por uma criança, que se encanta ao recebê-lo e vai brincar muito com ele até que deixe de ser importante. Ela então o larga e o coloca de lado. Sinto que as pessoas fazem uma tempestade a respeito de algo muito simples. Mas isso é compreensível, justamente por conta das distorções da sexualidade devido à repressão, que chegou ao ponto de conectar essa energia à sombra.

Então o sexo acabou se transformando num instrumento de domínio atrelado ao ódio e ao medo. A luxúria, que é um dos aspectos da sexualidade do falso eu, usa essa energia para exercer a dominação e acaba gerando sofrimento, perdendo o foco original de perpetuar a espécie, celebrar o amor e se elevar por meio do encontro com o outro.

Para entendermos a apropriação da sexualidade pelo falso eu, basta observarmos os danos causados à vida das pessoas pelo ciúme, o principal filho da luxúria. Ele é uma distorção da energia sexual atrelada à carência afetiva. A sedução e o ciúme caminham juntos, fazendo parte das armas utilizadas pela luxúria para dominar o outro por meio dessa força negativa. Embora o ciúme esteja relacionado ao outro, no que diz respeito à fantasia, ele é totalmente pessoal. Na maioria das vezes, não tem nada a ver com o outro. É uma projeção mental de insuficiência e impotência que coloca a vítima como protagonista, uma insegurança profunda que a pessoa carrega e abre as portas para entidades espirituais de baixa vibração.

A sedução e o ciúme são duas entidades interconectadas que estão sob o comando da rainha luxúria. São as cabeças de uma legião muito poderosa de eus inferiores que causam muito estrago à vida do protagonista – assim como à do outro que compõe essa relação. O desejo dessas entidades é que ele seja o dono exclusivo do outro, o que não é possível. Ninguém pode ter ninguém como propriedade, porque isso significa escravização – algo que foi possível durante um tempo na jornada evolutiva do ser humano, mas atualmente não é mais.

Essa ilusão de se considerar proprietário de outra pessoa tem gerado muita violência. Porque mesmo tendo o outro ali, sob a mira da arma, amarrado ao pé da cama, ainda assim o protagonista do ciúme se sente inseguro e precisa extravasar seu ódio. Então passa a agredir a pessoa que está com ele. Essa é uma das principais motivações nos casos de violência doméstica e de feminicídio que aparece diariamente na mídia. Atualmente, a gente consegue ter mais informação a respeito desses fatos, o que antes não acontecia, porque não se podia nem falar a respeito. Mas tudo isso são sintomas e desdobramentos do ciúme – que está diretamente relacionado ao esquecimento de quem a pessoa de fato é.

A energia sexual se torna um obstáculo quando a pessoa se perde na atração, criando internamente a crença de que, para viver essa experiência, precisa do outro. Isso pode levar alguém a se tornar um escravo desse condicionamento da luxúria quando, na verdade, a satisfação está dentro de cada um de nós e o outro é só uma referência para encontrá-la. A pessoa pode ter um parceiro ou estar sozinha, porque não existe certo e errado em relação a isso. Existem inúmeros mestres espirituais e santos ao longo da história que foram casados e tiveram filhos e, portanto, exerceram a sexualidade, sem contudo se contaminarem e ficarem presos aos seus aspectos sombrios.

O ponto importante em relação ao sexo é ver se ele está alinhado com o bem e canalizado a serviço ou não do

A energia sexual se torna um obstáculo quando a pessoa se perde na atração, criando internamente a crença de que, para viver essa experiência, precisa do outro.

―――

desenvolvimento espiritual. A distorção da energia sexual nos faz reféns dela, porque tudo aquilo que é proibido é desejado. Então, por trás disso, existe uma rede de ignorância conectada à repressão, ao consumo, à guerra e à religião. Isso faz com que a gente fique preso em um círculo vicioso de esquecimento de quem somos. Essa história ilusória de dualidade reprime e, ao mesmo tempo, desperta o desejo de querer conquistar. Mas, para isso, é preciso ter poder, dinheiro e consumir. Assim, você acredita que consegue dominar o outro e vai andando para fora em círculos, se distraindo. Por isso, afirmo que a sexualidade é uma escada para subir ou descer, dependendo da ação e do entendimento de cada um.

No mundo em que vivemos, o marketing constrói uma ilusão de que, se não tivermos certo produto ou não formos de certa maneira, não alcançamos o nível desejado de beleza e felicidade. Por meio de padrões cada vez mais inatingíveis, sentimos que nunca somos suficientes e que nunca estamos satisfeitos. Com a sexualidade, acontece a mesma coisa: ela é distorcida com regras que vão contra sua natureza sagrada, nos causando mais medo e ansiedade que nos conectando com nossa espiritualidade.

Para alcançar o conhecimento dessa sexualidade sagrada é preciso estar conectado com o amor, colocando realmente o trabalho de desenvolvimento espiritual em primeiro lugar. Então, aos poucos, qualquer relação afetivossexual irá se transformando numa parceria espiritual. O seu companheiro ou companheira estará com você, ajudando no seu crescimento. O casal se tornará um canal do poder divino, compartilhando entre si o autoconhecimento.

Numa relação amorosa, é preciso compreender o outro como uma manifestação de Deus, que merece ser respeitada. À medida que se vai amadurecendo, o sexo também irá desaparecendo, porque a energia sexual será direcionada para o trabalho espiritual. Então haverá entre os dois uma parceria divina.

Porém, para que haja um verdadeiro entendimento da sexualidade como mais um instrumento rumo à plenitude, é necessário se libertar dos preconceitos do que seria pecado. Essa ideia de que o sexo é pecaminoso tem sido uma das causas da miséria humana, porque limita o entendimento do casal para o desenvolvimento de uma relação satisfatória que pode se esgotar de maneira natural. É como dizia Sai Baba: não se pode cortar o rabo do girino antes do tempo, porque assim ele não poderá virar um sapo.

O Osho usava outro exemplo. Ele falava que o sexo é a semente, o amor é a flor e a compaixão é o perfume da flor. Se você condena a semente, não haverá flor, portanto, nem amor, nem compaixão. Assim, se alguém distorcer o princípio da sexualidade, se tornará vítima do desejo e da culpa. Porque tudo aquilo que é proibido também se torna desejado, aprisionando a mente às fantasias sexuais que impedem uma ascensão para estágios mais elevados da nossa evolução.

Existe ainda um outro aspecto importante que vale a pena analisar. Se olharmos para a indústria farmacêutica mundial, poderemos constatar que os remédios antidepressivos e as pílulas anticoncepcionais estão entre os mais vendidos. O anticoncepcional trouxe mais liberdade para o corpo, porém, para a mente, não foi bem assim. Se a mente é reprimida e não se liberta para compreender do que o corpo precisa, há uma frustração e, por consequência, não há satisfação. Uma vez que o sexo é responsável pela produção dos chamados "hormônios da felicidade" (serotonina, endorfina, dopamina e ocitocina), sua repressão afeta tanto a saúde física quanto a mental. Portanto, uma das principais causas da depressão é a insatisfação sexual. A sexualidade torna-se um obstáculo à plenitude, porque uma parte de algo importante para as pessoas está sendo condenada, deixando a nossa mandala do coração incompleta. Isso é um sério impeditivo para a integração do nosso Ser.

A repressão sexual pode levar a uma depressão profunda e a diversas outras doenças. Mas é importante observar que, muitas vezes, essa repressão é inconsciente e se manifesta por meio de um bloqueio do fluxo da energia vital, que deixa de circular. Por isso, tenho falado a respeito do "novo casamento", de uma nova maneira de se relacionar, envolvendo transparência, respeito e autorresponsabilidade. Assim, quando surgirem dificuldades, os dois vão se sentar juntos para resolver a questão e entender qual a responsabilidade de cada um na oscilação dessa energia. Eliminando os segredos, a relação, aos poucos, irá se abrindo para que haja amor verdadeiro na interação física do casal.

O sexo físico instintivo é animal, mas, quando a gente começa a ascender em direção ao divino, é possível acrescentar o amor. Assim, podem ser encontradas a contraparte feminina e a masculina dentro de nós mesmos. Portanto, essa energia sexual poderá se mover em direção ao outro meditativamente. Isso permitirá que as pessoas encontrem o que procuram no outro, só que dentro de si mesmas. O princípio transcendental do "novo casamento", portanto, é compreender que a prática sexual pode também ser uma forma de autoconhecimento e de integração das partes fragmentadas da nossa personalidade. Dessa maneira, o relacionamento afetivo poderá ser mais uma forma de ascensão à plenitude.

O sexo está intimamente relacionado com a morte. Então, a repressão acontece por tratar-se de um poder tão grande que a pessoa tem medo de se colocar diante do desconhecido. Vivendo essa experiência orgástica profunda, ela perde o controle e se aproxima da morte. É para evitar esse estado de descontrole que ela se reprime.

Um *yogi* transforma tudo que é próprio do ser humano em sagrado. Torna sagrado seu alimento, seu trabalho, sua vida familiar, sua sexualidade. Não há nada que não seja sagrado para um *yogi*. O tantra é uma profunda devoção a Deus e a todos os seus abençoados poderes. A sexualidade contém a energia de Deus, com a qual o Todo-Poderoso gera o Universo e regenera a vida de todos os seres. Quando o *yogi* é puro e devoto, sua sexualidade se torna elevada e sublimada, o que traz a sensibilidade e a paz de espírito necessárias para sua vida no *sadhana*. O *samadhi* requer meditação, e meditação requer o equilíbrio de uma sexualidade serena.

Dalai Lama, um dos principais mestres do budismo tibetano, escreveu um texto a respeito do sexo sagrado, que também podemos chamar de sexo tântrico. Em síntese, ele faz uma reflexão de como a gente pode usar essa energia como uma forma de transcendência:

> Existem certos momentos em que podemos sentir naturalmente, em pequeno nível, a clara luz. Isso pode ocorrer durante o sono, desmaiado, bocejando ou no clímax sexual. Dentre esses quatro estados, o mais propício para sentir o nosso verdadeiro potencial é no intercurso sexual. Embora eu esteja usando um termo ordinário, isso em nada se assemelha ao ato sexual comum. Refere-se a uma íntima experiência com a consorte do sexo oposto, por meio da qual as substâncias mais elevadas são misturadas, e pelo poder da meditação o processo é invertido. Um pré-requisito para tal prática é o cuidado para não perder o sêmen. De acordo com a

explicação do *Kalachakra Tantra*, tal emissão é dita como muito perigosa para o praticante.*

A entidade humana em evolução tem a primeira noção do prazer ainda jovem, por meio da masturbação. Essa experiência natural de descoberta da sexualidade gera um prazer que faz a pessoa tirar o pé da Terra por um momento. Assim, o jovem começará a entender que existe essa coisa chamada prazer e se moverá em direção ao êxtase, que é uma linguagem esquecida pelo ser humano. Posteriormente, quando amadurece o bastante, descobre que o êxtase está dentro de si e que não depende do outro. É uma emancipação indicativa de que a plenitude está chegando e não depende de ninguém nem de nada. Está tudo dentro de cada um, que se basta. Dessa maneira, a autêntica autossuficiência é revelada.

Agora, é preciso estar atento, porque existe uma falsa autossuficiência que é uma viagem do ego. Ela é sustentada pela arrogância da pessoa que se acha melhor do que o outro, que pensa que não precisa de ninguém. Na verdade, isso é uma distorção do atributo divino do poder. Então, qual é a emancipação que nos livra da dependência do outro? É quando o sexo torna-se um brinquedo do qual o indivíduo não depende mais para se divertir. Claro que pode ainda brincar com ele eventualmente, nada é proibido, mas não está mais obcecado por ele – e, portanto, preso. A emancipação verdadeira significa a liberdade para brincar ou não com aquele brinquedo, não fazendo a menor diferença, porque a pessoa está realmente pura.

---

* Trecho extraído do livro *Budismo tântrico: espiritualidade e sexualidade* (Editora CRV, 2019), de Rafael Parente Ferreira Dias, em citação do artigo de Dalai Lama, *A Survey of the Paths of Tibetan Buddhism*.

3
ENTRAR NO FLUXO DA IMPERMANÊNCIA

Acordando do sonho ilusório

Todos os desafios, dificuldades e estresses pelos quais uma pessoa passa são como um sinal de alerta, avisando que ela está identificada com alguma história baseada num roteiro mental. O eu inferior – ou falso eu – inventa histórias a respeito das situações que surgem na vida. Isso é uma limitação. Muitas vezes, o que está fazendo a pessoa sofrer não é uma situação em si, mas o que ela está pensando sobre a situação. Por isso, a libertação dessas repetições negativas só é possível quando chegamos à sua causa. Para tanto, é preciso se desidentificar do falso eu criador de enredos que nos faz cair repetidamente no mesmo buraco.

O caminho aconselhável para se libertar das histórias mentais de negação inventadas pelo falso eu é o autoconhecimento. Nesse processo, a pessoa precisa, por exemplo, fazer exercícios diários de retrospectiva do seu dia. Comece a rever todos os acontecimentos do seu dia, desde a hora em que acordou até o momento em que está fazendo essa prática. Assim poderá identificar os momentos e as situações em que se estressou, sentiu raiva, se entristeceu, identificou-se com a vítima e com as várias dimensões da sua natureza inferior. O que o fez entrar em sofrimento? Qual situação o levou a esse estado? As respostas podem ser inúmeras, como "ah, porque eu perdi o emprego" ou "eu estava esperando ganhar um presente e não ganhei".

Mas o que o está fazendo sofrer agora? É o fato de não ter ganhado o presente desejado? É você não ter conseguido o que queria ou é estar pensando sobre não ter conseguido? Fazendo esse exercício, é possível ir percebendo aos poucos a mecânica da mente. Então, você terá a percepção de que está gerando um sonho construído pelos pensamentos e cuja origem é a identificação com o falso eu.

A plenitude é o caminho para despertar desse sonho criado pelo falso eu, que é constantemente realimentado no mundo por meio de conversas e informações distorcidas. As comunicações nos chegam diariamente por vários canais, seja pela palavra que vem do amigo ou pela que vem do inimigo. Os jornais, as televisões, os sites, as redes sociais nos trazem muitas palavras de diferentes lugares que alimentam esse sonho de insuficiência, de impotência, de incapacidade, de carência afetiva. Observe que todas essas formas de sofrimento são manifestações do falso eu.

À medida que começamos a acordar desse sonho, vamos rompendo a identificação com o falso eu. O sofrimento é gerado por um estado ilusório. Basta lembrar que é possível "sofrer por antecipação". Essa expressão é um bom exemplo da sabedoria popular. As pessoas sofrem por aquilo que acham que irá acontecer, mas que ainda não aconteceu – e talvez nem vá acontecer. Isso porque o falso eu criou enredos mentais ilusórios de negação que geram uma sequência de pensamentos que sempre terminarão no pior acontecimento possível. Porém é importante entender que todo esse processo é puramente mental e imaginativo. É só um sonho.

Lembro-me de estar um dia com meu mestre Maharajji no seu quarto quando chegou uma discípula pedindo para conversar com ele. A mulher estava aflita e nervosa. Começou a desfiar um rosário de lágrimas diante do Maharajji, dizendo que não era amada pelos outros buscadores da *sangha*. Que se sentia discriminada, que tinham preconceitos contra ela... Enfim, uma série de queixas. Durante toda a narrativa, o Maharajji apenas observou impassível, sem esboçar nenhuma reação. Quando a mulher terminou sua narrativa, Maharajji olhou pra ela e disse: "Mulher, acorde, isso tudo foi apenas um sonho".

Uma pessoa não o olhou do jeito que você queria, aí já surge a fantasia de que aquela pessoa tem alguma coisa contra você. Daqui a pouco, estará perdido num drama sem fim. Essas histórias criadas pelo falso eu acabarão levando você para o inferno. Porém, se conseguir interromper esse processo de negação, você descobrirá que na verdade não era nada daquilo. Foi só uma interpretação equivocada de um fato. Estou querendo dizer que, muitas vezes, não é o fato em si o gerador do sofrimento, mas a interpretação que se faz daquele acontecimento. Você precisa aprender a lidar com a realidade na hora em que alguma coisa acontece e não com toda essa fantasia. Para conseguir não se enredar nesse sonho ilusório que o arrasta para o inferno, é importante romper com o fluxo do tempo psicológico. É preciso se estabelecer no presente. Ninguém consegue viver no passado nem no futuro, porque são tempos psicológicos.

A plenitude só é possível na presença, aqui e agora. Não é possível no passado. Não é possível no futuro. Porque, se você continuar preso no tempo psicológico, será um eterno prisioneiro do medo, das expectativas, dos desejos. Mas acredito que você quer que as coisas sejam diferentes para poder se libertar de todo esse sofrimento imposto pelo falso eu. Quem não quer viver de uma maneira mais livre e se libertar de tantos sofrimentos inúteis, que só bloqueiam os caminhos para o conhecimento do verdadeiro Ser?

Isso é uma coisa que a gente vai aos poucos aprendendo, porque é um ponto importante no estudo do autoconhecimento. É preciso despertar a consciência da lembrança de si mesmo tanto em relação ao aspecto humano quanto ao divino. Ela torna possível nos libertarmos desse sofrimento gerado pela fantasia a respeito das coisas. E precisamos sempre perguntar a nós mesmos quem está fantasiando. Pois só então veremos que é o lado louco da mente inebriada em meio a tantas histórias criadas por roteiros existenciais ilusórios.

A falação no mundo e a fofoca alimentam essa loucura. Considero que grande parte do que as pessoas falam é fofoca. Emitem opiniões contundentes e fazem julgamentos de coisas que não sabem, principalmente da vida dos outros. É preciso usar o poder da palavra para tirar as pessoas da miséria criada por essa falação desvairada. Porque elas entram no sofrimento e se

O caminho aconselhável para se libertar das histórias mentais de negação inventadas pelo falso eu é o autoconhecimento.

———

afundam cada vez mais, se alimentando do medo que provocam no outro com a maledicência da fofoca. Isso se volta contra elas mesmas, que acabam enroladas karmicamente, usando a palavra vinda do falso eu para encantarem-se ainda mais nessa trama infernal.

Portanto, perceba o poder da palavra. Você pode tirar uma pessoa do inferno usando palavras forjadas pelo perdão, pela compaixão, pelo amor. Mas também pode lacrar a porta do inferno para o outro quando propaga a fofoca, a mentira, a maledicência. Observe que essas palavras do eu inferior estão diretamente ligadas à vingança, um processo em que não existem vencedores, porque todos acabarão presos na mesma cela.

Tive um professor de yoga que dizia: "As palavras são como pedras, elas constroem, edificam, mas também destroem, soterram e matam". Além de construir o próprio destino por meio das palavras, você também poderá interferir no destino de outras pessoas. Porque a palavra é uma materialização dos nossos pensamentos. É necessário vigiar o fluxo dos nossos pensamentos para saber qual roteiro ele está criando, pois muitos deles podem ter finais infelizes. Aí entram as práticas espirituais de autoconhecimento que podem nos ajudar a purificar esses pensamentos através da meditação, do canto de mantras e da leitura de textos sagrados. Por meio de uma disciplina, ou *sadhana*, espiritual, não importa de qual linha seja, você poderá se tornar o senhor dos seus pensamentos, não o contrário.

Aprenda a relaxar na incerteza

Quando eu falo em meditação, muita gente pode pensar que é uma técnica complexa que veio da Índia, acessível apenas a iniciados. Mas se, por um momento, você relaxar de todos os seus pensamentos repletos de apegos a essas histórias criadas pela mente, poderá entrar em meditação naturalmente, sem nem saber que está meditando. Perceba que a meditação para mim é um profundo nada fazer. Há um relaxamento profundo quando você deixa de agir incessantemente em qualquer direção e está ali, vivo, presente, observando. Essa presença coloca você em comunhão com o todo. Assim, poderá relaxar na incerteza e se livrar de muitos temores que assombram a sua vida.

Relaxar na incerteza é o grande segredo, porque, na verdade, é uma grande ilusão acreditarmos que é possível controlar as coisas. Há um ditado na Índia que diz: "O homem faz seus planos e Deus dá risada". Esse controle é ilusório, desafiado o tempo todo pela realidade. O grande aprendizado é a gente fazer nossos planos, mas sem se apegar a eles, tendo consciência das incertezas.

Precisamos estar abertos inclusive aos sinais que vão nos mostrar o próximo passo da jornada evolutiva. O Universo conversa conosco por meio de sinais e sincronicidades, que são as aparentes coincidências misteriosas que surgem além das explicações lógicas. Assim, temos que estar atentos a esses sinais para nos estabelecermos no presente.

A sabedoria da incerteza nos faz presentes e nos liberta do tempo psicológico. Quando queremos controlar tudo, começamos a morrer. É o ego que quer ter tudo sob controle. E, por trás desse desejo, está o medo do desconhecido. Tem uma parte nossa que quer saborear o gosto da aventura, mas precisa compreender que isso só é possível na incerteza. Quando alcançamos esse entendimento, nos abrimos. Estou aqui, neste momento, escrevendo um livro. Mas não sei o que vem depois, terei que ir descobrindo. Se eu me prender a um roteiro predeterminado, vou limitar a manifestação que está chegando através destas palavras.

Para navegar na sabedoria da incerteza, duas coisas são indispensáveis: confiança e desapego. É preciso ter consciência de que você não pode dominar o fluxo e ainda assim permanecer confiante. Vamos supor que você sinta o Universo o levando a uma direção específica, guiado por uma intuição, um mestre ou o nome que você quiser dar ao poder que o conduz. Você está indo naquela direção e de repente quebra a perna. Aí, vai começar a achar que tem alguma coisa errada com a sua escolha. Mas não tem, porque isso também faz parte do aprendizado para o seu crescimento. Na hora em que você quebra a perna, precisa ir ao médico e engessar. Assim, vai conhecer uma pessoa que trará a você um ensinamento e mostrará um caminho para curar a sua perna. A dança cósmica vai acontecendo e essas tramas kármicas vão se desenrolando enquanto você vai se desenvolvendo espiritualmente.

Mas essa sabedoria da incerteza pode ser muito desafiadora se você estiver apegado à ideia da permanência, achando que a sua existência está limitada ao seu corpo e à sua mente. Enquanto você estiver apegado por conta do medo e da necessidade de controlar tudo, não conseguirá realmente relaxar e se entregar ao fluxo. Daí surgem as diversas consequências da estagnação do fluxo, como depressão, ansiedade, doenças diversas, que nascem em razão da energia bloqueada. Mas isso tudo pode ser curado pela entrega, que o levará naturalmente além do medo para desbloquear essas energias estagnadas.

Posso dar dois exemplos para ilustrar o que estou dizendo, um bem exagerado e outro mais simples. Você pode fazer uma viagem para a Índia e deixar as coisas acontecerem. Porque na

Índia não é possível controlar nada. Você compra uma passagem de trem para as 9h, mas o trem pode passar às 10h, às 11h, às 12h – assim como pode já ter passado. Reserva um hotel num aplicativo, mas chega lá e não tem mais vaga. Assim, você vai lidando com toda a sua necessidade de controle e formatação, sendo obrigado a sair de dentro dessa caixa que a sua mente achava controlar para poder navegar na sabedoria da incerteza e se deixar levar sem apego a nada.

Outro exemplo, mais simples, é identificar os seus medos de perder o controle durante a sua prática de retrospectiva diária, a sua autoinvestigação. Observar a necessidade que você tem de que tudo aconteça de um determinado jeito, de acordo com as suas expectativas, e perceber como você reage quando as suas expectativas são frustradas. Esse é um exercício de observação que vale para todo tipo de situação: a sua relação profissional, a sua vida familiar, a sua intimidade com seu companheiro ou companheira, tudo. Como você reage quando suas expectativas são frustradas? Ao fazer essa reflexão, você tomará consciência do quanto é vítima da necessidade de controle e ainda está preso à ideia de permanência.

Como já vimos, não é possível controlar nada, porque a permanência não existe, é uma ilusão. Uma das principais marcas da existência neste plano é a impermanência. O dia se transforma em noite, a noite se transforma em dia, uma estação leva a outra, nada permanece no mesmo estado. E, quando você aceita esse fluxo natural de transformação de todas as coisas, consegue relaxar e encontrar conforto. Isso é navegar na incerteza e na impermanência, atento à intuição, aos sinais e às sincronicidades. Assim, você é conduzido para sair da caixa em que se tornou prisioneiro do controle e do apego e começa a caminhar em direção à plenitude.

Relaxamento não significa preguiça

A preguiça é uma questão interessante, porque é um sintoma de sentimentos negados ao longo da nossa vida. O senso comum costuma confundir preguiça com algo imoral. A pessoa preguiçosa é uma vagabunda que faz corpo mole e não quer fazer nada. Mas a verdade é que ela não consegue mesmo, porque os seus sentimentos congelados não permitem que use os recursos disponíveis.

A pessoa preguiçosa tem um "não" enorme no seu sistema e, consequentemente, carrega uma dor muito grande e uma falta de habilidade para lidar com seu sofrimento. A partir daí, ela já é julgada rapidamente. Também sente muita culpa por ser preguiçosa e ver a família passando fome, sem conseguir levantar para cortar o pão e dar ao filho. Claro que existem graus e graus de preguiça, inclusive a preguiça ativa. A pessoa acorda de manhã e faz um monte de coisas, parece uma *workaholic*, mas não faz aquilo que precisa ser feito porque está fugindo de si mesma.

Por outro lado, a preguiça passiva extrema se confunde com uma depressão profunda. A pessoa não consegue sair de casa nem se levantar da cama, porque a sua energia está congelada em seu sistema. Como se pode ver, isso, em hipótese alguma, tem a ver com relaxamento. Na verdade é o contrário: existe uma hiperatividade emocional, mental, nessas pessoas. Existe um grau de estresse muito elevado num preguiçoso, embora ele não tenha consciência disso, o que pode se tornar um grande obstáculo para se alcançar a prosperidade, o propósito e, consequentemente, a plenitude.

Mas como uma pessoa aprisionada à preguiça poderá se libertar? Dependendo do grau do estado de ânimo no seu sistema psicológico, ela precisará de ajuda especializada. No entanto,

Enquanto você estiver apegado por conta do medo e da necessidade de controlar tudo, não conseguirá realmente relaxar e se entregar ao fluxo.

———

na maioria dos casos, a cura é possível se a pessoa se predispuser a olhar as causas da sua preguiça. É preciso entender que esse estado de prostração não é um ato obstinado de rebeldia, mas uma briga com a vida, um protesto contra o pai, a mãe e até mesmo uma briga com Deus – ou aquilo que a pessoa acredita ser Deus. Na maioria das vezes, a pessoa preguiçosa sofre porque a vida não atendeu às suas expectativas, aos seus caprichos, aos seus desejos. Então, ela se revolta e acaba se paralisando porque não compreende os baques da vida. E, assim, começa a se amargurar de uma maneira tão intensa que não consegue mais se mover.

O relaxamento é o oposto disso, porque é a consequência da espontaneidade. Para estar totalmente relaxada, a pessoa precisa se entregar ao fluxo, sem querer nada diferente, com plena aceitação do momento, sem ficar presa aos roteiros mentais ilusórios que a imobilizam. É preciso perceber, ainda, que existe uma diferença enorme entre a não ação, que pode refletir uma escolha consciente para se alcançar estados mais elevados espiritualmente – que inclusive é citada na *Bhagavad Gita* –, e a procrastinação, que é apenas uma fuga da realidade que imobiliza a pessoa, colocando-a numa rota de autodestruição.

Liberdade na impermanência

Esteja onde estiver, se você realmente quiser a liberdade, o Universo vai corresponder. O caminho lhe será mostrado. Mas cada um terá que aprender por si mesmo. A liberdade é uma desconexão do fluxo do tempo psicológico, formado por passado e futuro. Você é livre quando não é mais arrastado pelo passado nem pelo futuro, quebrando o vínculo com o medo e as falsas esperanças que se manifestam por meio dos desejos. Mas essa liberação só é possível com a compreensão de que você não precisa ser arrastado pela força gravitacional dos condicionamentos. O passado e o futuro são fontes geradoras de pensamentos que, encadeados, criam essa história de referência que sustenta a sua falsa identidade. Portanto, para romper com o falso eu, é necessário desidentificar-se dessas histórias, por mais sentido que elas tenham para você.

Para isso, você precisa aprender a se equilibrar na impermanência. Essas histórias criadas pela mente dão uma sensação de permanência, uma falsa ideia de segurança e de controle. Você se sente protegido pelos dramas gerados pela sua falsa identidade, por mais desagradáveis e miseráveis que eles sejam. Você se escora numa escuridão conhecida e se sente aterrado por ela.

Mas eu o convido a estar livre e sem ter onde pisar para acessar a sua verdadeira presença e aceitar a impermanência. O convite é para trilhar a sabedoria da incerteza. Porém o processo de quebra com o fluxo psicológico do tempo muitas vezes envolve a liberação de sentimentos acumulados no seu sistema. Não é possível fingir que o passado não existe. Tampouco estou falando em negação do passado. Trata-se de transcendê-lo a partir da compreensão que torna possível mudarmos o foco da nossa identidade. Esse conhecimento lhe permitirá eliminar a sensação de ser uma criança ferida se relacionando com uma mãe ou um pai que não atenderam às suas expectativas.

Os traumas gerados pelo desamor e a ignorância precisam ser superados para que você compreenda que é um Deus se relacionando com Deus. É preciso transcender a percepção limitada de quem é você. Porque você ainda acredita ser uma criança excluída, desrespeitada, desamparada, esperando ser considerada, respeitada e amada. E acaba projetando tudo isso nos seus pais.

Mas, mesmo que esse desamparo tenha sido real, ele aconteceu com uma parte da sua personalidade. E, por conta do trauma desse desamor, você ficou parado e identificado com os conflitos que ocorreram nessas relações. A partir disso, todas as dificuldades repetitivas nos relacionamentos posteriores são indicativos de que você está parado no tempo, identificado com a criança ferida, com medo de reeditar essa mesma dor, criando a expectativa de que o outro faça diferente para atender aos seus desejos.

Você está à espera de algo que venha dos seus pais para se sentir em condições de seguir viagem. Deseja uma aprovação, uma autorização para poder crescer. Mas isso não virá, porque você está preso a uma história criada por essa criança ferida, esse falso eu, por esse círculo vicioso no tempo psicológico.

Os Vedas apontam uma direção para a superação desses seus limites quando dizem para enxergar os seus pais como Deus – não como um Deus separado de você, mas como a Unidade que está em tudo e em todos. Por isso, sugiro que, quando estiver diante dos seus pais, em vez de pedir a bênção, use a reverência "namastê", que significa "a divindade que está em mim saúda a divindade que está em você".

A compreensão chegará à medida que você se libertar dos sentimentos guardados e for capaz de agradecer os presentes que a vida lhe deu. Você deve ter gratidão até mesmo aos choques de desamor que ajudaram você a entender melhor a dinâmica da vida neste mundo.

É difícil lidar realmente com alguns aspectos do desamor, em especial a violência, a traição, a exclusão. Mas, conforme você se move em direção à gratidão, começa a liberar sentimentos guardados e a colher os tesouros escondidos na escuridão. Esse processo pode ser desafiador. Então, não se preocupe se momentaneamente ficar triste ou entrar num profundo desequilíbrio. Porque, na essência, estará lidando com mágoas e ressentimentos que geram a impressão de que as coisas saíram do equilíbrio, de que houve uma desconexão e você perdeu a harmonia, mas existe um plano maior atrás disso tudo.

Precisamos realizar a travessia e passar do lugar onde pensamos estar para o lugar onde realmente estamos. A confiança nos propiciará a compreensão para relaxar na incerteza. Mesmo sem um chão para pisar, uma história para se identificar, permita-se relaxar na impermanência. Essa é a base para a sustentação da sua verdadeira presença. Em um dado momento, você romperá com o fluxo psicológico do tempo e deixará de interpretar as situações da vida. Será um clique interior que o fará aceitar a impermanência e se aprofundar no silêncio.

A sua necessidade premente é se libertar do sofrimento. E, se você conseguir transcender todo esse jogo do falso eu e se estabelecer no silêncio, quebrará o fluxo do tempo para permanecer no presente. No aqui e agora, só existe seu verdadeiro Ser, que é Um com todas as coisas. A resistência do falso eu serve justamente para iludir você com uma segurança que não existe. Coloque sua atenção na auto-observação e acorde do sonho ilusório, identificando a natureza do que você está sonhando. Acorde dentro do sonho, liberte-se da história da sua personalidade e das interpretações geradas por ela. Solte os pensamentos e volte para o presente.

Da mesma maneira, sugiro que você lide com seus dramas de insegurança, ciúmes, comparações, invejas e de todas as histórias contadas pelo seu eu inferior que lhe dão motivos para sofrer. Faça uma careta para esse falso eu e deixe-o sozinho: "Xô! Sai daqui, chega! Vai embora, coisa ruim!". Isso pode até parecer engraçado, como se fosse uma brincadeira, mas na verdade é uma solução criativa para você conseguir acessar a sua consciência desperta sempre que precisar se libertar dos roteiros mentais ilusórios. Isso é treinar a mente colocando freio nas ondulações que levam ao sofrimento.

Em outras palavras, estamos numa autoescola, aprendendo a dirigir esse veículo chamado corpo-mente. Sabendo conduzir o seu veículo, você poderá andar pelas ruas que escolher, e escolherá o caminho a partir desse lugar de presença, de silêncio e de calma interior.

A ilusória fuga da impermanência

A necessidade de acumular bens materiais, histórias, dramas e desejos é uma maneira de alimentar a fantasia da permanência e da imortalidade corporal. E aí a gente chega em outro ponto delicado do nosso processo para alcançar a plenitude: em algum momento, vamos precisar encarar a morte. Teremos que lidar com isso, não há para onde correr, porque a impermanência se manifesta no dia a dia, é o abre e fecha da vida, é o sobe e desce, é o ganha e perde, é a namorada que vem, a namorada que vai, é o dinheiro que você tem e o dinheiro que você perde, a saúde que vem, a saúde que vai...

Uma hora você terá que lidar com a morte do corpo. Você precisa se preparar para isso, porque vivemos como se nunca fôssemos morrer. Foi assim que o *yogi* Nachiketas respondeu a Yamaraja Guru, o Mestre Morte, quando ele lhe perguntou qual era a coisa mais comum e surpreendente do mundo: "Não há casa que você nunca tenha visitado; mesmo assim, todos vivem como se não fossem recebê-lo em suas vidas". Eu sinto que é algo tão forte, tão profundo, que desviamos o olhar e negamos essa possibilidade. Por isso, fazemos tanto drama quando uma pessoa morre, pois é algo que nos impacta, desafiando a ilusão de estarmos distantes dessa realidade. A gente acaba entrando em sofrimento devido ao impacto da realidade: "Eu vou morrer. Daqui a pouco é a minha hora". No entanto, em vez de ficar apavorado, o mais importante é se perguntar: "O que vai morrer?". Eu respondo: vai morrer o corpo físico e uma personalidade criada pelo tempo psicológico.

A personalidade que aqui a gente chama de Sri Prem Baba, anteriormente chamada de Janderson, tem uma expressão no mundo, uma imagem, uma história etc. Mas eu sou um "nada", eu sou um "vento" e ao mesmo tempo sou o todo eterno Um. A minha personalidade nasceu com o tempo e morrerá com o tempo. Ela pertence a um tempo. Nasce aqui neste lugar, num determinado país, recebe informações que vão construindo um caráter, um modelo de pensamento e de entendimento da vida.

Quem adquire habilidade com as palavras escritas poderá tornar-se escritor ou jornalista. Por outro lado, as palavras que recebi dos mestres fizeram de mim um professor espiritual. Então, todas essas aquisições compõem um repertório que determina nossa personalidade. O Ser usa nossa personalidade como um veículo, uma extensão do corpo. Mas isso acaba com o tempo. Assim como o corpo irá se desintegrar na terra ou no fogo, a personalidade também irá se dissolver com o tempo. O que permanece é o morador do corpo, que é eterno.

A *Bhagavad Gita* explica em seus versos: "Eu sou Eterno. Não me molho com a água, não me queimo com o fogo, eu sempre existi e sempre existirei". Esse é o Ser, outro nome para Deus. É importante ressaltar que, no Ocidente, entendemos Deus como algo distante, que está fora de nós. Criamos uma separação entre o Criador e a criatura, entre o Sol e o raio do Sol. Mas nós somos uma extensão do Sol, somos uma manifestação do Divino, do Todo. Essa separação é um tremendo equívoco que causa grandes sofrimentos para o ser humano.

A vida se manifesta em tudo que é vivo, e o Ser permanece porque é eterno. Posso dar um exemplo: para viajar a outra cidade, você aluga um carro. Depois de usá-lo para circular por onde queria, você terá que entregá-lo na locadora. E, se você não usou o veículo adequadamente, terá que pagar alguma multa. Da mesma maneira, se você não cuidou devidamente do seu corpo, terá que arcar com as consequências lidando com os karmas gerados. Por isso, é preciso cuidar bem do corpo, respeitando a sacralidade do veículo, dando-lhe o alimento certo etc. Porque, se você não cuidar direito do seu corpo, terá que pagar com as doenças que surgirão.

Para conquistar a eternidade, você tem que conquistar a si mesmo, conquistar a sua mente. Tem que realmente conhecer aquilo que, na cultura védica, se chama yoga e, na cultura chinesa, se chama Tao – o caminho para unir o humano ao Divino. Existem vários nomes, nas diferentes culturas humanas, para essa essência que é o caminho da iluminação espiritual. A conquista da eternidade só é possível por meio da iluminação espiritual, da autorrealização, e, para isso, há um caminho a ser seguido. Você tem que dar os seus passos, tem que se mover. Comece tomando consciência das suas misérias, das suas contradições, observando em que aspectos você não está sendo pleno e não está dizendo "sim" para a vida. Identifique em quais áreas você está criando um "não" por conta de vergonha, de medo, de julgamento, de preconceito. Descubra onde você está se opondo ao fluxo da vida.

Despertando a sua consciência por meio da auto-observação, você entenderá a história que está criando e com a qual está identificado. Na realidade, tudo não passa de um sonho de separação – porque a separação é um sonho, não é real. No caminho védico, chamamos isso de *maya*, a grande ilusão cósmica que nos faz sentir que estamos separados. O eu único na Terra se multiplica em várias formas diferentes, mas faz parte do Todo. As pessoas têm corpos diferentes, digitais que não coincidem, ninguém é igual a ninguém. Cada um tem a sua individualidade, que é o instrumento do ego para moldar a sua personalidade.

O jeito de cada um é o resultado das informações que foram absorvidas e está relacionado com a matriz física. Até mesmo gêmeos univitelinos podem ter as mesmas características físicas, mas as personalidades serão diferentes. Isso faz parte do jogo divino. Então, nosso caminho aqui é encontrar a unidade dentro dessa multiplicidade que se apresenta em nossa vida. No plano cósmico, somos uma coisa só, ainda que nossas frequências espirituais possam se manifestar de distintas maneiras.

Morte: a travessia consciente da impermanência

A humanidade está atravessando um momento delicado no planeta. O medo da morte sempre existiu, mas, em 2020, ele se tornou um elemento cotidiano na vida da maioria das pessoas. A pandemia de Covid-19 mudou vários padrões da coexistência humana e impôs o "isolamento social" em quase todos os países do mundo. Essa suspensão na "normalidade" apressada da vida fez com que muitos tivessem mais tempo para estar consigo mesmos e, consequentemente, refletir sobre a possibilidade de tudo mudar num segundo. A falsa sensação de segurança e permanência foi posta em xeque para milhões de pessoas no planeta.

Podemos dizer que a morte entrou na pauta dos pensamentos de muita gente, mas o tema é essencial para todos aqueles que querem vivenciar a plenitude. A morte deveria ser estudada durante a vida de qualquer pessoa para que esse medo primordial seja incorporado e transmutado. Ninguém poderá despertar para o estado pleno do Ser se não tiver um entendimento consciente da morte. Todas as principais correntes espirituais trabalham esse conhecimento para ajudar seus alunos a se libertarem do medo de modo a poderem se realizar na vida. Note que não estou falando da morte no sentido lúgubre e sombrio moldado pelo medo, mas como um elemento importante para o entendimento da plenitude na vida.

Alguns aspectos existenciais e psicoemocionais envolvem a vida humana e podem dificultar ou facilitar a saída do nosso espírito do corpo para uma nova dimensão. Identificados com o ego, ou o falso eu, passamos a vida trabalhando para conquistar um futuro que nunca chega e, de repente, chegamos ao momento de morrer. Na cultura védica, existe um conhecimento específico para entender e treinar a mente e o corpo para a morte, que é o Laya Yoga. Ele prepara o praticante para a saída do corpo consciente por meio do treino de um profundo relaxamento. Uma das possíveis interpretações para a palavra em sânscrito *laya* é dissolução. Yoga é união. Então, Laya Yoga significa a união que acontece por meio da dissolução de um ciclo da existência.

Para ilustrar esse ponto, vou contar a experiência de alguns amigos que estudam o Laya Yoga e que tiveram uma experiência de quase morte na Índia. O episódio aconteceu com Swami Shankaratilaka, que reside no Yogalaya Ashrama, em Munikireti,

A vida se manifesta em tudo que é vivo, e o Ser permanece porque é eterno.

―――

Rishikesh, onde tem uma Escola de Dharma Védico aberta a todos os buscadores sinceros. Naquela semana, estávamos ensinando sobre Laya Yoga. Sincronicamente, uma de suas alunas na Espanha estava prestes a falecer, e ele estava enviando orientações de como proceder no momento da passagem, com orações, mantras e demais procedimentos da tradição védica. Ou seja, o assunto estava bem presente naquela semana.

No dia em que estávamos celebrando o *mahasamadhi* do Paramaguru de Swami, o dia da morte de seu corpo, aconteceu uma situação bastante interessante que colocou os ensinamentos à prova. Pela noite, Swami e alguns discípulos haviam saído para jantar. Quando terminaram e pegaram o carro para retornar, uma falha mecânica fez o veículo sair da pista e cair num penhasco bastante íngreme, capotando algumas vezes antes de ser contido por uma árvore.

Naqueles poucos segundos, todos que estavam no carro perceberam que, na situação em que se encontravam, havia uma altíssima chance de morrerem. Estava tudo escuro, o lugar era de difícil acesso e alguns ficaram imobilizados, sem conseguir sair do veículo. A tensão era grande, mas, graças a um verdadeiro milagre, todos sofreram apenas ferimentos leves. O interessante é que, logo depois de passarem por essa experiência de "quase morte", eles se perguntaram se tinham se comportado de maneira adequada para enfrentar a travessia, caso ela realmente ocorresse. Ou seja, se tinham se lembrado do mantra específico que haviam treinado e se estavam disponíveis para seguir a jornada pela eternidade sem apegos.

Um dia depois, todos já estavam rindo, com muito bom humor, que é uma técnica para evitar o trauma. Isso significa que não ficaram resíduos traumáticos e cada um deles pôde absorver a experiência de "quase morte". Quando indaguei sobre o momento do carro capotando na encosta, apenas um deles e Swami me responderam que, apesar da presença natural do pânico, conseguiram repetir o mantra mentalmente e se entregaram à possível travessia ao outro plano existencial.

Mas o que mais podemos fazer no momento em que a morte se apresenta? O medo não vai ajudar, muito menos o apego aos objetos que moldam a nossa personalidade. Quanto mais a pessoa se detiver nas próprias conquistas materiais, sejam financeiras, profissionais ou familiares, mais difícil e traumático será o momento da travessia. A nossa jornada existencial é repleta de desafios que são oportunidades de aprendizados e de realização da verdade que somos. Somos constantemente convidados a acordar do sonho que nos faz acreditar sermos algo diferente daquilo que de fato somos. E quem não se conhece vai estar sempre projetando no futuro as realizações pelas quais anseia. Assim, quando a morte se apresenta no presente, sem mandar aviso, o desapego pode se tornar muito difícil, porque a pessoa se agarra à convicção de que ainda tem muito a realizar.

Tenho repetido que uma das principais características do sonho ilusório que muitos vivem é o medo. Portanto, uma das primeiras notas para mudar essa realidade é a consciência de que somos a confiança. Durante a nossa jornada existencial, precisamos realizar a transmutação do medo em confiança. A firme disposição de encarar nossos medos poderá nos ajudar muito nessa travessia. Não devemos fugir das nossas inquietações, mas encará-las e aprender com elas.

Diferentes medos nos visitam constantemente, porém estamos condicionados a fugir das manifestações que nos causam sofrimento. E fugimos das mais diferentes maneiras, principalmente nos anestesiando com o uso indevido do poder da palavra, da comida em excesso, de drogas e álcool, além de tantos outros meios que usamos para escapar da realidade que se apresenta para nós na forma do sofrimento.

Pode parecer paradoxal, mas quanto mais nos anestesiamos para não sofrer, mais nos aprofundamos no sofrimento. Assim, vamos criando círculos viciosos descendentes, que roubam a nossa força e nos impedem de acessar nossa autoconfiança. Esse círculo vicioso só é quebrado quando colocamos algo diferente em movimento. Quando podemos, de alguma maneira, sair dessa rotina psicoemocional. Por exemplo, você consegue perceber uma mudança clara na sua mente e nos "eus emocionais" quando faz uma peregrinação espiritual, seja para a Índia, para o Caminho de Santiago, para a Amazônia, não importa. Até mesmo numa caminhada para um templo qualquer que esteja perto da sua casa. Saindo da rotina ou da rota psicoemocional condicionada, que o leva a visitar os mesmos lugares dentro de si, se tornam possíveis a expansão da consciência e o contato com lugares exteriores e interiores diferentes.

O convite é para você parar de repetir o mesmo roteiro de pensamentos, ficar quieto consigo mesmo e tomar consciência das suas vergonhas – que estão intimamente relacionadas com o medo. Às vezes, não é possível encarar o medo de imediato, mas dá para encarar a vergonha que leva ao medo e ir além dele.

Deixe o medo falar dentro de você e contar as fantasias dele. Mas também se dê a chance de duvidar dessas fantasias. Questione: "Será verdade que, se eu fizer aquilo que sinto vontade de fazer, vai acontecer isso que o medo está dizendo que vai acontecer?". Procure analisar todas as variáveis da situação para que você possa compreender a estrutura da fragilidade do seu falso eu que está acreditando na história que o medo está contando.

Antes da morte, permita que a sua máscara e o seu eu idealizado morram primeiro. Porque são eles que sofrem com a ameaça do medo. O eu idealizado tem como base o perfeccionismo e quer controlar tudo, sob o risco de sofrer humilhações, de ter que encarar o desamor e de passar por experiências doloridas. Vá entrando nessa dor, não fuja dela, respire-a. Entenda que, às vezes, é preciso estar num lugar em que não há onde se segurar. É como estar numa montanha-russa, sentindo tudo se movendo dentro de você. Você respira, respira, respira, procurando devagarinho se distanciar dessa sensação. E, assim, vai tomando consciência dos pensamentos que estão gerando o medo e se projeta numa outra dimensão do entendimento.

É preciso compreender que ninguém está sozinho, isolado, passando por essas tormentas. Trata-se de uma experiência coletiva, de uma travessia da entidade humana em evolução. A abertura de espaço dentro de si para o entendimento desse processo permitirá, inclusive, colocar-se no lugar do outro que está passando pela mesma tormenta. A dimensão da dor que as pessoas carregam as faz agir estupidamente. Quanto maior a violência, maior é o grito de socorro. E a gente, despertando nossa consciência, pode abrir um espaço para a compaixão. Assim, naturalmente, é possível resgatar a confiança de que está tudo certo. De que tudo não passa de *lila*, um jogo do amor de Deus em ação.

Em vez de brigar com o jogo divino, você pode se abrir para compreendê-lo. Não adianta sair revoltado, acusando e fazendo uma guerra. O melhor é se perguntar: "O que eu preciso aprender com a tormenta? Por que isso está retornando para mim? O que eu ainda não aprendi? Qual é a dimensão da verdade que ainda não absorvi? Qual é a dimensão do amor que eu ainda não manifestei?". Fazendo essa autoindagação, entenderemos que o nosso ser tem as dimensões do amor e da sabedoria. São desdobramentos do nosso eu real. Todas as experiências da vida são convites para que possamos despertar as diferentes dimensões do amor e da sabedoria dentro de nós.

Todo esse conhecimento pode nos auxiliar de forma bem prática na travessia consciente deste mundo para o outro. Despertando as dimensões do amor conhecidas como perdão e gratidão, você conseguirá romper com o passado e se abrir para o eterno agora, para o presente. O trabalho de cura espiritual que realizamos para fazer a travessia da morte é, em síntese, lavar o coração de mágoas e ressentimentos para encontrar a paz. No momento da passagem, a mente precisa estar em Deus.

Para podermos deixar este mundo pacificamente, nada pode nos prender a ele. É preciso estar de bem com todos, sem desejos nem aversões. Esse é o verdadeiro desapego. Mas aí você pode me perguntar: como a gente faz para se desapegar? Estou mostrando um caminho prático, porque o desapego é um florescimento que surge da compreensão quando temos amor suficiente no coração. E, para cultivar esse amor suficiente, é necessário caminhar um pouco na esfera do perdão e da gratidão que nos limpa das mágoas e dos ressentimentos.

Na hora da passagem, você precisa já ter feito práticas espirituais suficientes e estabelecido a sua conexão com o sagrado para se lembrar do que realmente importa. Quem é você? É o corpo? A mente? A sua história? O que você está fazendo aqui? Algumas pessoas não têm a menor ideia das respostas, e está tudo absolutamente certo. Mas, se você já estiver começando a desconfiar de quem é realmente e do que veio fazer aqui, então é uma questão de inteligência fazer melhor uso do seu tempo. Ajustar o foco e estabelecer prioridades, porque, se você é um ser espiritual vivendo uma aventura na matéria, a prioridade é o espírito.

Não quero dizer com isso que você deva negligenciar a matéria. É preciso encontrar o ponto de equilíbrio a partir da consciência de que o espírito vive na matéria. Mas, se você está identificado apenas com a matéria, as distrações podem ser infinitas e afastá-lo do conhecimento de quem você realmente é. No entanto, ao estabelecer uma conexão com o espírito, fará um uso consciente e adequado da matéria com uma sábia distribuição do seu tempo.

Contemplando diariamente as coisas do espírito, você vai redirecionar os vetores da sua mente e, portanto, da sua vontade. É importante sustentar essa lembrança de que você é o espírito. Porque, quando ela estiver firme, você poderá ir para o mundo e vivenciar as suas experiências firmado num ponto de equilíbrio, até que não haja mais distinção entre matéria e espírito. Porque tudo se torna espírito e sagrado. Aí, com certeza, você vai se lembrar disso na hora da passagem, poderá viver sem o constante medo da morte e alcançará a plenitude no momento presente.

Agora, uma questão naturalmente surge quando aprendemos um pouco sobre o momento da passagem: como podemos ajudar um amigo ou um ente querido que se encontre às portas da morte? Essa é uma situação que certamente mexerá com você. É difícil testemunhar o sofrimento do outro de maneira impassível. No entanto, é importante lembrar que devemos estar conscientes das nossas limitações. Só podemos dar o que temos. Então devemos nos perguntar: o que podemos oferecer para essa pessoa querida que está fazendo a passagem? Essa resposta só cada um tem.

Podemos fazer um paralelo com o sistema de segurança do avião. Nas instruções antes do voo, aprendemos que, no momento de despressurização da cabine, quando caem as máscaras de oxigênio, é preciso colocá-la primeiro em você e só depois no outro. Portanto, você precisa aprender a lidar com a morte para poder ter o que oferecer a alguém que esteja morrendo. Porém, independentemente do que você conquistou em termos de consciência e de conhecimento a respeito do processo de transição, poderá emanar uma onda de amor para essa pessoa. Fazer uma oferenda de luz na forma de uma chama acesa, entoar uma oração ou cantar um mantra. Você faz isso por conta do vínculo emocional que tem com o amigo ou o ente querido que está morrendo.

Contudo, esteja atento para que esse vínculo emocional não retenha a pessoa. A gratidão que você sente pelo outro pode ser uma ajuda inestimável para ele. Agradeça pela amizade, pelo encontro nesta vida, pelos aprendizados que tiveram a chance de ter juntos, mas deseje-lhe uma boa viagem, mesmo que você ainda não saiba ao certo para onde essa pessoa querida está indo. Mas haverá a certeza de que será uma despedida que deixará saudades. Esse ritual vai crescer em força e luz à medida que você se tornar consciente de quem verdadeiramente é e de como entrar e sair desse corpo.

4
LIBERTAR-SE DA FALSA IDEIA DA ILUMINAÇÃO

O ego espiritual e a falsa devoção

Os raios do Sol iluminam todos igualmente, e estamos aqui para aprendermos a compaixão, para sermos bondosos uns com os outros. Buscamos realizar esse estado de bondade conosco e com os demais. Isso é evolução espiritual. Porém o fato de alguém estar num caminho espiritual não é uma garantia de que não repetirá padrões relacionados ao falso eu. Afinal, sempre existe o risco de criarmos um ego espiritual motivado por algum interesse e exercermos uma falsa devoção e um amor vazio. No entanto tudo isso faz parte do processo de desenvolvimento de cada um.

Muitos alunos meus chegaram, num primeiro momento, demonstrando um amor sincero pelo mestre, pelo caminho e pelo conhecimento. Alguns desejavam fazer *seva*, que é uma prática muito importante do yoga na busca pela iluminação, pela autorrealização. O mestre determina um valor ou um serviço para o discípulo pagar em troca dos ensinamentos que está recebendo. Na maioria das vezes, a prestação do serviço desinteressado, *seva*, é uma contribuição para toda aquela comunidade espiritual, a *sangha*, que se forma em torno de um mestre. Varrer o templo, arrumar as coisas, cuidar do jardim, qualquer coisa assim.

Então, muitos vêm aparentemente compreendendo tudo e cheios de devoção, mas, depois de um tempo, os interesses por trás dessa aparente entrega se revelam. Na verdade, alguns estão querendo atenção, ser considerados pessoas especiais, mas, quando não conseguem realizar esses desejos, aquela devoção se transforma em ódio. Querem destruir o mestre e ser ressarcidos pelo *seva* que praticaram. Isso é uma coisa que precisa ser compreendida. Porque essa infantilidade, essa imaturidade, está em todo lugar, está na pessoa, não importa onde ela esteja, se no caminho espiritual, se no material.

No caminho espiritual, se o mestre estiver realmente desperto, vai em algum momento devolver essa projeção para o aluno. O ego tem que estar cristalizado para poder ser quebrado. Assim, o mestre alimenta essa projeção do discípulo até perceber que está na hora de retirá-la. Na verdade, essa projeção vem na forma da noção de que o mestre é o pai, a mãe dele, que precisa acolhê-lo e atender aos seus desejos, expectativas e caprichos. Porém um verdadeiro mestre não está em busca de seguidores, mas de ensinar e ajudar aqueles que chegam até ele, sejam muitos ou poucos.

Ele espera que as pessoas adquiram aquele conhecimento que fez dele um mestre, um desperto.

A transmissão do conhecimento entre mestre e discípulo é o caminho da iluminação. Nesse processo existe uma sucessão, só pode ser mestre quem já foi discípulo. Ninguém pode ensinar sem antes aprender. É essa dinâmica do jogo divino que mantém o conhecimento vivo para que não se perca e a gente continue com essa porta aberta para o Céu, que está aqui e agora. O Reino do Céu é dentro de cada um, a descoberta e a identificação com o Ser que nos levará ao estado de plenitude.

O entendimento verdadeiro do Ser e da Unidade entre todas as coisas nos propicia a compreensão da impermanência e a aceitação de que as coisas são assim mesmo neste mundo. E não estou falando num conformismo imobilista, mas no entendimento do fluxo que vivemos entre a matéria e o espírito. Estamos aqui encarnados neste plano dimensional com largura, altura, profundidade e tempo, quatro dimensões em que tudo oscila, varia e nada é permanente. Só essa fragrância do Ser que é o amor permanece e se expressa como *sat-chit-ananda* – existência, consciência e bem-aventurança, o amor divino incondicional que é uma fragrância desse Ser que somos.

Iluminação idealizada

Entre as idealizações mais comuns, sobretudo para os buscadores espirituais, está a iluminação. E quero desmistificar esse assunto. Os textos iniciáticos clássicos mostram apenas o estado supremo que o *yogi* atinge ao alcançar a meta, mas não o que vem depois. Raros são os que revelam o dia a dia de um iluminado. Então vemos uma estátua dourada do Buda e acreditamos na perfeição sem nenhuma alteração. Mas não é assim. A estátua revela o divino do Buda, mas o homem Sidarta, que alcançou o estado de Buda, teve momentos de alterações na sua vida cotidiana.

Meu guru Maharajji vivia num quarto, praticamente sem sair. Ele entrou em reclusão em 2007, mas, em 2011, um pouco antes de abandonar seu corpo, disse: "Não é possível estar na esfera espiritual 24 horas por dia". Você está no corpo humano e se horizontaliza para viver as coisas da matéria. É preciso lembrar as diferentes faces do eu e das múltiplas dimensões da realidade. Aliás, um dos últimos ensinamentos do Maharajji foi dado quando uma pessoa questionou-o devido a uma confusão que estava acontecendo no *ashram* Sachcha Dham, construído por ele: "Se alguém comete um erro, é por ser humano", disse Maharajji.

Por isso, quero evitar que os buscadores criem idealizações a respeito do fenômeno da iluminação espiritual. O mais importante é focar em se tornar uma pessoa boa e purificar o próprio coração. Dessa maneira, é possível abrir caminhos para a nossa expansão a ponto de alcançarmos o autodomínio necessário para nos verticalizarmos espiritualmente no momento em que quisermos.

Podemos estar plenos em todas as diferentes realidades. Ao se mover na horizontal materialista, a pessoa se agita. Mas, permanecendo num quartinho, é mais fácil sustentar a equanimidade. Era assim antigamente: uma pessoa se iluminava e ia para uma caverna, irradiando luz. No entanto, os tempos mudaram e as pessoas iluminadas precisam ir para o mundo. Necessitam navegar na horizontal. É natural que haja agitação ao movimentarmos os diferentes corpos. Quando alguém vai ao aeroporto, à rua, ali ou acolá, chega o momento em que aprenderá a retornar para o vertical por meio da intenção consciente. Poderá sentar-se e decantar toda a agitação. Imagine um copo com água que tem um pouquinho de terra. Quando é agitado, tudo se mistura. Mas, quando a água se aquieta, a terra se acumula no fundo do recipiente. Um iluminado sabe fazer isso intencionalmente.

É preciso adquirir esse autodomínio para ser equânime em todas as situações. Percebo, pela minha experiência, que, quando estou cansado, às vezes tenho lapsos de presença. Por exemplo, esqueço onde coloquei o celular. Isso é um lapso de presença. Além disso, há ainda os karmas antigos dos quais precisamos dar conta. Existem situações em que, por mais que não sejamos capazes de identificar, outras pessoas enviam pensamentos em nossa direção. Gente apegada, querendo alguma coisa de nós, nos envia frequências. E elas acabam chegando. É preciso saber lidar com essas situações sutis, transformando constantemente essas frequências energéticas.

Você está na Terra, num corpo humano, se relacionando e absorvendo impressões o tempo todo. Por isso, quando alguém alcança a autorrealização e está fazendo um trabalho no mundo, precisa se cercar de uma comunidade que vibre positivamente à sua volta. Precisa também continuar sempre rezando, cantando e meditando para dar sustentação ao trabalho de transmutação das frequências negativas.

A outra opção é se isolar numa caverna. A história nos conta que, nos tempos antigos, era isso que os seres iluminados faziam. O grupo de discípulos rezava, cantava e levava comida para o mestre isolado. Mas hoje já não é assim. A humanidade vive um momento de urgência, e o ser iluminado precisa fazer coisas práticas, muitas vezes envolvidas com a matéria. Assim, para os seguidores de alguém que tenha alcançado a autorrealização, não é mais suficiente apenas cantar e rezar, porque eles precisam sustentar na matéria o trabalho do mestre. Senão, é muito peso para o ser iluminado, sozinho, lidar com tanta coisa.

Atravessando o Vale das Sombras

Ninguém vai alcançar a plenitude se não passar por situações desafiadoras. As experiências que vivemos, quando bem aproveitadas, podem nos impulsionar para galgarmos mais um degrau na escala da nossa evolução, além de servirem como um espelho para outros buscadores. Contarei uma passagem difícil da minha vida para você entender que muito do que transmito como ensinamento faz parte da minha vivência no mundo. Ensinar e aprender é um processo único.

Em 2018, atravessei uma provação árdua, em que todos os conhecimentos espirituais que acumulei durante anos foram duramente colocados à prova. Os ensinamentos transmitidos por mim precisaram ser postos em prática. Mas a essência do que ficou para mim, depois de passada a tempestade, foi um aprendizado profundo. E é isso que vou compartilhar para um melhor entendimento do caminho da plenitude e da importância do desapego à permanência.

O que é uma provação? Uma oportunidade de você ver o que aprendeu. E isso aconteceu comigo e com todos que estavam conectados a mim, pois foi uma provação que abriu uma fenda na relação de confiança estabelecida entre mim e meus estudantes. A partir de uma falha cometida por mim uma década antes, a fenda da desconfiança abriu as portas para uma verdadeira avalanche. Na realidade, foi uma chance de checar se as lições aprendidas poderiam ser colocadas em prática.

Falando de mim, mais especificamente, pude ver ali que eu precisava aperfeiçoar o entendimento e as lições a respeito dos próprios valores que eu vinha ensinando – amor, honestidade, autorresponsabilidade, gentileza, serviço, dedicação e beleza. Entendi a importância de aprimorar o que eu estava comunicando ao mundo. Percebi ainda que todos que estavam comigo de alguma forma também tiveram essa chance de aprimoramento. Eles passaram por uma prova parecida, mesmo que em graus diferentes. Assim, puderam olhar para os aprendizados recebidos e escolher entre seguir por outro caminho de estudo ou colocar em prática aquilo que aprenderam comigo.

Após essa experiência, houve uma mudança total na minha consciência, na minha energia espiritual e no meu próprio corpo físico – assim como na vida das pessoas conectadas a mim. Foi algo forte, que, na verdade, ainda está se manifestando. Tudo mudou. Estou vivendo um momento diferente, um novo tempo, uma vida nova e um outro ciclo. Com mais liberdade, maturidade e compreensão, inclusive da dimensão verdadeiramente espiritual do trabalho do qual fui encarregado pelo meu mestre.

A espiritualidade autêntica é compaixão, amor, perdão, desapego e entrega ao serviço. Então, sinto que tudo que aconteceu ao meu redor se transformou na possibilidade de podermos subir mais um degrau ainda nesta encarnação. Todos que estavam conectados a mim sentiram profundamente o impacto provocado pelo que aconteceu.

Mas meus irmãos maiores da linhagem *Sachcha*, à qual pertenço, interpretam a passagem difícil que atravessei como uma prova que todo *yogi* precisa viver em algum momento. Também me disseram que fui vacinado para me imunizar de determinadas possibilidades de quedas provocadas por atrações do ego.

Eu experimentei um poder muito grande aqui no mundo, e isso pode criar um encantamento. Ver realmente o poder de Deus se manifestando e despertando o talento de tanta gente, testemunhar muitos se encontrando por meio desse poder, pode fazer a nossa vaidade se manifestar. Mas fui vacinado a tempo.

O interessante é que, a partir dessa vivência, me senti mais aceito pelos outros mestres mais experientes e tradicionais da linhagem *Sachcha*. Em vez de me julgarem ou rechaçarem, eles abriram os braços para me receber e contam comigo para continuar a missão *Sachcha* no mundo. "Então, agora, você está completo, e contamos com você para poder continuar a missão", me disseram eles. Assim, me sinto ainda mais preparado para realmente representar Sachcha Baba com plenitude, seguindo o propósito de despertar o amor nas pessoas.

Transmutando o veneno do mundo em plenitude

O nosso mundo se tornou um lugar perigoso justamente por conta do uso inconsciente do poder que é a palavra. A gente assiste atônito ao mau uso que está sendo feito desse poder na política, nos meios de comunicação, mas especialmente nas redes sociais. Essa falsa liberdade das pessoas de poderem usar as palavras como quiserem, sem a menor consciência ou qualquer filtro, está servindo como um instrumento de autodiagnóstico para termos a noção da dimensão da doença e da loucura humana neste momento.

Estamos perdidos em meio a tanta violência e a tanto ódio, distantes da nossa verdadeira identidade e, portanto, da plenitude. Precisamos de um trabalho muito firme, determinado, para podermos interromper esse círculo vicioso, que é uma força autoperpetuadora descendente, que nos arrasta para baixo. Eu sou um exemplo vivo e senti na pele as consequências dessa rede tramada pela ilusão coletiva do falso eu.

Nessa passagem da minha vida, existem muitos ensinamentos que podem ajudar a desmistificar a iluminação espiritual e as projeções que fazemos dos nossos pais em Deus, no guru ou na Vida – ilusões que limitam nosso acesso à Verdade. Não estou escrevendo para contar "meu lado da história", mas apenas para destacar os ensinamentos contidos na travessia.

Eu estava fazendo um trabalho de organização do amor no mundo. Na prática, estava reunindo pessoas que considero talentosas e que poderiam fazer a diferença no mundo: formadores de opinião, lideranças que pudessem receber conhecimento espiritual e colocá-lo a serviço da elevação da sociedade para gerar justiça, amor, verdade. Mas fui atingido por uma reportagem caluniosa que ganhou um poder tremendo nas redes sociais. Isso gerou uma onda que cresceu tão intensamente que acabou realmente me paralisando e manchando a minha reputação. De certa forma, esse episódio criou um impedimento para o meu fluxo de plenitude naquele momento.

Acabei por realmente me desconectar do meu Ser por me sentir injustiçado. Indignado, abri uma porta para a vítima que traz consigo o sofrimento. Talvez tenha sido o maior teste da minha encarnação, porque, naquela hora, percebi que a vida sempre está por um fio.

O que percebi de mais destrutivo foi assistir às pessoas falarem de coisas que não sabiam, enquanto outras davam ouvidos às mentiras. Muitos na verdade até tinham em mim uma esperança de transcendência, mas também tinham medo de perder o reinado do ego e quebraram o espelho que eu representava para elas.

É importante realmente a gente conseguir se vacinar contra a fofoca, a maledicência e todas essas conversas que são puras distrações do caminho da verdade. No meu processo de autoentendimento diante do que estava acontecendo à minha volta, fui buscar em mim qual porta eu tinha aberto. Cometer equívocos ao longo da jornada é a prova da vida pela qual todos iremos passar. Então, na minha autoanálise, percebi o erro de não assumir publicamente o meu lado humano. Obviamente, a opulência divina acaba encantando, e falhei em não ter mostrado que também sou humano e tenho necessidades físicas, intelectuais, emocionais etc.

Tenho um estudo profundo a respeito da sexualidade tântrica, de como ela pode ser usada para despertar a consciência. Isso é algo que está nos tantras budistas e védicos e em muitos outros textos sagrados que, infelizmente, foram profanados. Claro que, conforme você vai se entregando espiritualmente, essa energia vai se esvaziando. E isso aconteceu comigo. Estou muito sereno e já faz anos que não pratico sexo. Não sou contra. Simplesmente não vibra mais em mim porque se esvaziou. Não é uma oposição, mas uma transcendência – o que é diferente de repressão.

A minha ação de mestre espiritual tinha arrebanhado milhares de pessoas de várias partes do mundo, ligadas às minhas transmissões presenciais e virtuais. Os meus livros estavam nas listas de mais vendidos e havia um encantamento com o sucesso. Havia uma aura de fama, de celebridade. Admito que, num dado momento, tomei o poder do guru como meu. Encantei-me com esse poder que estava passando por mim e realmente despertando Deus em muita gente. Envaideci-me desse poder e o tomei como se fosse meu, não como um poder de Deus.

Mas isso foi necessário para que eu pudesse aprender mais, amadurecer e avançar na jornada, realizando a missão que está destinada a mim. Precisei passar por essa provação para estar no lugar em que estou e dar continuidade ao meu trabalho.

O amor é a seiva da vida e a razão de tudo, porque, sem amor, nada faz sentido. Esse foi o ensinamento do meu guru Maharajji, que despertou em mim essa consciência. Porém, num dado momento, por conta da indignação com os ataques que recebi, tranquei o fluxo do amor e fiquei balançado. Então, veio essa carga de ódio e violência para cima de mim e eu realmente quase perdi o rumo, que só consegui retomar quando pude respirar esse sofrimento sem fugir, sem ter um lugar para me apoiar, sem ter um chão pra pisar, porque eu estava num lugar de total vulnerabilidade.

Nesse momento, pude perceber o poder do mantra da linhagem espiritual que nasceu da compaixão de Sachcha Baba: *Prabhu aap jago. Paramatma jago. Mere sarve jago. Sarvatra jago. Sukanta ka khel prakash karo.* É um mantra que visa despertar o amor, acordar a divindade em tudo, em todos, mesmo naqueles que estão totalmente tomados pela ignorância e pelo ódio.

Também o yoga me ajudou a sobreviver a esse baque. Estou falando não de exercício físico, mas do domínio da mente. Através de *pratyahara*, a abstenção dos sentidos, é possível colocar a mente no Supremo e se entregar. Existe um lugar dentro de nós que não se abala com nada, mesmo numa situação tão extrema de humilhação pública como a que passei. Tive a chance de realmente integrar esse conhecimento a uma sabedoria minha, pois o conhecimento só se transforma em sabedoria quando é possível vivenciá-lo. Todos os desafios de fora são oportunidades de aprendizado interior e de crescimento. Por maior que seja o sofrimento, podemos focar a nossa atenção na presença interior para despertarmos o perdão, a compaixão, o amor e a bondade.

Respirando o sofrimento e estabelecendo empatia com aqueles que me difamavam, vendo a dor deles e a dimensão do sofrimento a que estavam submetidos, consegui chorar por mim e por eles. Realizei o perdão, a compaixão, e pude voltar para o meu nicho interior. No resumo de tudo, está a experiência do amor. Como diz o versículo bíblico em 1Coríntios 13:1: "Ainda que eu falasse a língua dos homens, ainda que eu falasse a língua dos anjos, sem amor eu nada seria". O meu mestre despertou o amor dentro de mim. Assim foi possível inspirar a tristeza, o ódio, o sofrimento, transmutar tudo isso no meu coração e devolver em bem-aventurança.

Mas houve um momento, nesse processo, em que eu realmente morri. O meu corpo estava estendido na cama, e eu saí dele. Vi minha avó, que já morreu há muito tempo, me chamando. Eu estava indo para a luz que se apresentava. No entanto, aconteceu um fenômeno em que recebi a possibilidade de escolher entre seguir viagem ou voltar e fazer um sacrifício, segurar o karma de toda uma coletividade e transmutá-lo para continuar despertando um grupo de almas. Aceitei o desafio de voltar e continuar servindo à linhagem *Sachcha*, transmutando o veneno em néctar dentro de mim e no meu corpo.

Recomendo a todas as pessoas que estão sendo difamadas, humilhadas, traídas, que não caiam na armadilha de tratar o mal com o mal. Eu quase caí nessa tentação, que vem lá de antes dos tempos de Moisés, do olho por olho e dente por dente. Mas se a gente continuar assim, como disse Mahatma Gandhi, vai todo mundo ficar cego e banguela.

O dissipador de trevas

A palavra sânscrita karma significa "ação". E toda ação gera uma reação, essa é uma das mais básicas leis físicas. Para viver a plenitude, é preciso entender os fatos que acontecem em nossas vidas e as suas consequências. Essa autoanálise precisa envolver não culpa, mas consciência para podermos corrigir o rumo e seguir com a nossa evolução. Sem medo nem negação, a experiência do erro pode se transformar numa preciosa oportunidade de aprendizado.

Por outro lado, o sânscrito tem outra palavra que dá um sentido de plenitude ao karma, que é *dharma*. *Dharma* significa a ação correta que nos permite evoluir em direção ao nosso verdadeiro Ser. Ou seja, *dharma* é o karma como uma ação plena e consciente que abre os caminhos para a nossa elevação. As filosofias espirituais orientais trabalham profundamente esse conceito, pois ele contém o aprendizado necessário para traçarmos uma direção consciente às nossas ações, como já vimos em capítulos anteriores.

Na vida, existem momentos em que devemos passar por situações muito difíceis. Essas circunstâncias podem estar determinadas até mesmo antes da nossa encarnação. São as tormentas kármicas que se apresentam e que devemos atravessar para podermos aprender com os erros que cometemos nesta e, dependendo do caso, até em outras vidas. Assim, a dor torna-se um veículo da consciência para aprendermos com nossos erros. Quando a gente se desvia do *dharma*, acaba cometendo ações que geram reações negativas. E daí vem o sofrimento, para nos fazer voltar ao caminho do *dharma*. Portanto, ao contrário de alguns conceitos religiosos ocidentais, a dor e o sofrimento não são castigos, mas uma possibilidade pedagógica de correção dos nossos caminhos.

Muitas vezes, um evento inesperado abre uma porta para a purificação de karmas até mesmo de outras vidas. Você esbarra numa pessoa por acidente e acaba tomando um tiro de bazuca. Olhando com os olhos da matéria, isso não faz sentido. Às vezes, o erro parece totalmente desproporcional à reação adversa gerada. Mas pode ser que essa consequência exagerada faça parte de um processo de libertação de erros cometidos nesta e em outras vidas, necessário para sua evolução.

À medida que a gente se purifica, a consciência de que é preciso respeitar as regras do *dharma* vai se fortalecendo – até chegar o momento de nos encontrarmos plenos com aquilo que é real e eterno. Atravessei uma tormenta kármica gerada por vários motivos que só pude conhecer com o tempo. Eu estava trabalhando espiritualmente para purificar o veneno de todo um grupo de almas comprometidas com o processo de autoconhecimento. Comprovadamente, estava levando muita gente comigo, mas erros cometidos no caminho alimentaram uma tormenta que se formou gradualmente e acabou desabando sobre todos que estavam envolvidos no processo.

Eu nasci perdido na mais escura das ignorâncias, e meu guru me abriu os olhos com o colírio do conhecimento. O entendimento da minha tormenta kármica está diretamente relacionado a um comando do meu guru Maharajji que acabei ignorando. Eu já havia trilhado um longo caminho entre religiões, escolas esotéricas e científicas. Mas, quando cheguei ao meu guru, tomei consciência de quão cego eu ainda era. Compassivamente, ele foi me guiando numa longa jornada de purificação, estudos e práticas. Até que, em dado momento do treinamento, ele me deu o comando de compartilhar com o mundo o que eu tinha recebido.

A coluna dorsal do caminho da iluminação é formada pelo guru, *Shastras* (textos sagrados) e *Sadhana* (prática espiritual).

———

Maharajji foi claro ao dizer: "Você é livre para ensinar como quiser. Apenas peço que conduza todos a Deus. Vá para o mundo e circule oferecendo *satsangs* por seis ou sete anos e depois se fixe num *ashram*. Quem precisar aprender com você virá à sua procura". Ele ainda tentou me prevenir: "Este mundo é muito bonito. Mas não se meta com ele, porque ele te pega".

Entendi bem o recado. Mas existe uma distância entre o entendimento ali, aos pés do guru, e a prática na realidade cotidiana influenciada pelo *samsara*. Resultado: não consegui cumprir o comando que recebi. Passaram-se dez anos, ou seja, quatro anos a mais do que ele havia me determinado para estabelecer-me num único lugar para ensinar.

A relação mestre-discípulo é uma coisa séria, pois se trata de um trabalho que envolve karmas severos de muita gente. E, a partir de determinado momento, só temos a escolha de fazer o que é certo, de seguir o *dharma*. Um desvio milimétrico pode ser fatal para abrir uma fenda e criar uma tormenta kármica. É como um tsunami de karmas desta e de muitas outras vidas, que passam a ser purificados num processo muito doloroso.

A dor é um dos veículos da consciência. Nós aprendemos com os erros. E, ao nos desviarmos da lei do *dharma*, sofremos. No entanto, esse sofrimento, essa reação à ação do desvio, serve para nos fazer voltar ao caminho. Devemos nos responsabilizar pela dor e aprender. O karma negativo gerado por alguma ação incorreta não é um castigo, mas uma dívida de aprendizado. É uma dor pedagógica. O jogo da vida, apesar de ilusório, tem suas regras. Ao respeitar essas regras, vamos nos desenvolvendo. Até que, em algum momento, encontramos aquilo que é real e eterno e conseguimos sustentar esse conhecimento.

Como humano, estou sujeito a erros. Cometi muitos ao longo da vida. Mas entendo que minha maior falha foi não seguir as instruções do meu guru. Isso abriu a porta para a minha tormenta kármica. E também é verdade que eu não estava preparado para liderar a organização do tamanho que ela ficou. Obviamente, foi uma experiência para ajustar o meu caminho. Como diz o escritor e líder religioso Alex Polari: "O que vem para provar o mal vem para provar o bem. O mal, Deus é quem consente para ver o que a gente tem".

Seguindo os passos do mestre

O guru é o poder espiritual atuando por meio do mestre para remover a ignorância do discípulo sincero. A partir de determinado momento, não é possível progredir no processo de autoconhecimento sem a bênção e a instrução de um guru. É isso o que nos ensina o *Sanatana Dharma*, que é o caminho da religião eterna que inspirou diferentes religiões orientais. Dentro da tradição Védica, o caminho da liberação espiritual do ciclo de morte e nascimento foi codificado nos *Shastras*, escrituras que são os ensinos originais que nos dizem como devemos viver na Terra para alcançar a plenitude máxima. Esse conhecimento está escrito, mas só pode ser transmitido pela relação guru-discípulo. A coluna dorsal do caminho da iluminação é formada pelo guru, *Shastras* (textos sagrados) e *Sadhana* (prática espiritual). O guru ilumina o entendimento do buscador a respeito das verdades maiores da vida e da morte. É um amigo eterno que por sucessivas vidas instrui e conduz a alma até a sua liberação. Ele pode usar diferentes métodos, mas o conhecimento que liberta é o mesmo.

O estudante maduro sabe que o seu progresso espiritual depende não só dos seus próprios esforços, mas também das bênçãos do seu guru. Se não for assim, não há progresso real na senda espiritual. Esse é o único poder que pode destruir o nosso egoísmo, a nossa ignorância e o nosso sofrimento. Por isso, digo para aqueles que de fato querem progredir na senda espiritual: orem com sinceridade para que o seu guru se revele.

A relação entre mestre e discípulo é a coluna vertebral do caminho da iluminação espiritual. As escrituras são claras quando afirmam que somente a graça do guru pode fazer brotar as sementes das austeridades realizadas, às vezes, ao longo de vidas inteiras. E eu tive o merecimento de experimentar essa verdade na minha jornada.

Como diz um trecho da *Guru Gita* (escritura que narra como o Senhor Shiva explica o que é o guru e a liberação):

Om ajñana-timirandhasya jñanañjana-salakaya caksur-unmilitam yena tasmai sri-gurave namah.

Saudações ao mestre virtuoso que, com o colírio do conhecimento, abriu os olhos daquele que estava cego devido à escuridão da ignorância.

O poder místico do Mestre

No Ocidente, a palavra guru gerou muitos equívocos na sua interpretação, seja por conta de fatos relacionados às falhas humanas ou ao medo da aceitação de um outro ser humano como uma porta para Deus. As religiões tradicionais ocidentais criaram um muro em relação à divindade viva. Muitas vezes, preferem

*Om ajñana-timirandhasya
jñanañjana-salakaya
caksur-unmilitam yena tasmai
sri-gurave namah.*

Saudações ao mestre virtuoso que, com o colírio do conhecimento, abriu os olhos daquele que estava cego devido à escuridão da ignorância.

acreditar em algo projetado num futuro inexistente e impalpável a crer em alguém que pode surgir em determinado momento da nossa vida para nos mostrar o caminho para a plenitude. Projetam Deus exteriormente como algo que só é possível de ser alcançado depois da morte. Ainda assim, dependendo do cumprimento de dogmas religiosos determinados por autoridades eclesiásticas.

Um guru verdadeiro nada mais é do que um espelho para reconhecermos a divindade que nos habita. Por outro lado, gurus também têm suas porções humanas, apesar de todo o conhecimento, e isso tem causado muitas confusões. Se um mestre comete algum erro advindo da sua humanidade, acabam por tentar invalidar todo o conhecimento transmitido por ele. É preciso entender que alguém, para ser guru, tem que receber esse atributo de outro guru. Não é possível se autodeterminar um guia antes de ser guiado, ser um mestre antes de ser discípulo. Então, nesse processo de transformação, é possível que falhas aconteçam.

Assim, um guru atuando no mundo terá que lidar também com a sua humanidade. É justamente nesse fato que reside uma beleza infinita. Na realidade, os gurus são pontes entre o humano e o divino para o entendimento no aqui e agora, algo palpável, que nos oferece a oportunidade de experienciarmos o mistério em ação capaz de nos guiar da ignorância para a realização da plenitude. O guru é capaz de nos despertar para o conhecimento de quem verdadeiramente somos.

Transcrevo parte de um texto do professor védico Swami Shankaratilaka, especializado em yoga e vedanta, sobre o simbolismo do guru nos Vedas.

> O termo *guru* é um conceito que expressa o poder místico de transmissão da força espiritual entre mestre e discípulo. O primeiro de

todos os gurus é o próprio Shiva, e dele emana o poder espiritual através de mestres de diferentes linhagens. Quando um discípulo recebe a iniciação de um mestre verdadeiro, se conecta ao imenso poder espiritual que emana da Consciência pura e recebe inúmeros benefícios na sua jornada existencial.

Para ilustrar esse entendimento, é como um eletrodoméstico sendo conectado a uma fonte de energia elétrica. Nesse instante, ele começa a funcionar e a expressar a atividade que está presente na sua natureza, mas que até esse momento estava adormecida.

A palavra sânscrita *guru* é composta pelas sílabas "gu" e "ru". "Gu" significa escuridão e "ru" é a luz do conhecimento supremo, ou seja, o guru é aquele que dissipa a ignorância da escuridão com a luz do conhecimento. Segundo a milenar escritura védica *Advaita Upanishad*, o mestre que tem o poder de dissipar a escuridão da ignorância é chamado de guru. Na *Guru Gita*, lemos: *Gukāras tvandhakārash cha, rukāras teja uchyate, ajñyāna grāsakam brahma, gurur eva na samshayah* – "A sílaba 'gu' é a escuridão, e se diz que a sílaba 'ru' é a luz. Não há dúvida de que o guru é, de fato, o conhecimento supremo que absorve as trevas da ignorância".

Quando esse mestre aparece em nossas vidas, toda a imensa escuridão desaparece pela luz do conhecimento que ele nos transmite. Assim como ocorre com o medo, quando acreditamos que há uma serpente na escuridão do nosso quarto e, ao acendermos a luz, nos damos conta de que era apenas uma corda.

O conhecimento do guru não é dele, mas do Ser Supremo. Assim, o guru é alguém que se qualificou para ser um catalisador do Conhecimento Divino e que nos dá a oportunidade de recebê-lo. Na *Bhagavad Gita*, que é um dos principais textos sagrados, reconhecido como um resumo perfeito dos *Shastras*, Sri

Krishna indica ao seu discípulo Arjuna como receber o verdadeiro conhecimento espiritual:

Tad viddhi pranipatena pariprashnena sevaya upadekshyanti te jñanam jñaninas tattva-darshinah.

Aprenda isso mediante a obediência (ao guru), mediante a busca, mediante o serviço. Quem guarda o conhecimento, quem enxerga a Verdade, o instruirá com essa sabedoria – *Bhagavad Gita* IV, 34.

Nesse aspecto, Sri Krishna, o grande mestre do yoga, indica como se pode adquirir o conhecimento espiritual: entrega, perguntas, investigação e serviço aos homens sábios que possuem o conhecimento dos gurus.

*Tad viddhi pranipatena
pariprashnena sevaya
upadekshyanti te jñanam
jñaninas tattva-darshinah.*

Aprenda isso mediante a obediência (ao guru), mediante a busca, mediante o serviço. Quem guarda o conhecimento, quem enxerga a Verdade, o instruirá com essa sabedoria – Bhagavad Gita IV, 34.

5
PLENITUDE ALÉM DO JULGAMENTO ALHEIO

O outro não existe

Um dos maiores obstáculos para alcançarmos a plenitude são nossas relações com os outros. Vivemos em sociedade e acabamos criando uma preocupação constante com o julgamento que os outros fazem de nós. Assim, entramos num jogo sórdido para preservar nossa personalidade social, nossa biografia individual e nosso ego viciado na dualidade. E nessa luta de autopreservação, ficamos ainda mais enredados no sofrimento. Porque, se dermos mais importância ao que pensam a nosso respeito do que ao autoconhecimento, acabaremos encarcerados numa prisão criada pela mente. Osho costumava dizer que leva muito tempo para perceber que a felicidade e a infelicidade só dependem de nós. Porque é muito confortável para o ego achar que a causa da nossa infelicidade são os outros.

O escritor e filósofo francês Jean-Paul Sartre cunhou uma frase que se tornou uma das maiores marcas da sua obra: "O inferno são os outros". Ainda que Sartre fosse um existencialista materialista, acabou deixando para os buscadores uma pista de um obstáculo poderoso rumo à plenitude. Para quem não tem autoconhecimento, a preocupação com o outro será uma limitação para poder ascender aos planos mais elevados da existência. Portanto, é preciso que busquemos caminhos para nos libertarmos desse inferno do julgamento alheio. O melhor é abrir mão dos nossos pensamentos sobre o outro e usar essa energia na busca pelo nosso verdadeiro Ser.

Um exemplo que considero absolutamente fundamental para curar relações é romper o contrato com o eu que fala mal do outro, especialmente se o outro não estiver presente. Porque isso acaba gerando reações sobre as quais você não tem o menor controle. Você dá passagem para a natureza inferior na forma da vingança, da inveja e de outros sentimentos negativos, que, sem que você se dê conta, acabam por alcançá-lo mais adiante. Esse é um compromisso importante para atingir a plenitude.

O outro pode se tornar um temor constante para nós se o virmos como um potencial inimigo. Essa ideia é uma manifestação da natureza ilusória. As almas são atraídas para esse plano com a intenção de experienciar a matéria, mas, ao chegar aqui, inevitavelmente são submetidas às leis deste plano – entre elas, talvez a principal seja a dualidade. Ao encarnar, pagamos o preço de ter nossa percepção da unidade encoberta. Você acaba se sentindo um eu separado da vida que se manifesta por meio dos outros. Desenvolve um ego cuja essência é a ideia de que você está separado do outro. Assim, é levado a acreditar que existe eu e você. Talvez esse seja o aspecto nuclear de *maya*, a grande ilusão cósmica. Um poderoso véu que encobre a nossa visão criando camadas e mais camadas de ilusões que se desdobram a partir da ideia de dualidade.

Esse processo começa a se tornar nefasto e absolutamente miserável quando, a partir dessa ideia de separação, você começa a se acreditar vítima. Você crê que existe um culpado pelo fato de estar passando por uma determinada dificuldade. Esse eu separado inevitavelmente o machucará, porque a experiência neste planeta tem momentos de prazer e alegria, mas também de muita dor. O prazer e a alegria, normalmente, ficam no intervalo entre duas dores. Assim como uma rosa tem espinhos, o ser humano também os tem, e acaba espetando a si mesmo com eles – e é levado a acreditar que isso acontece por culpa de alguém. Isso faz parte da arquitetura de dualidade deste plano.

A criança chega ao mundo com a necessidade de receber amor exclusivo. Quer o amor do pai e da mãe só para ela. Isso acaba gerando frustração, já que é impossível receber amor exclusivo. Assim, logo cedo na vida, ela começará a desenvolver a ideia de ter inimigos. E os primeiros, inevitavelmente, serão seus pais, que não puderam lhe dar o amor exclusivo que ela desejava. A partir daí, se inicia seu projeto de vingança baseado em acusações. Ela acusa o outro (no caso, os pais) por não a ter amado com exclusividade. Mesmo que alguém tenha tido pais muito amorosos e conscientes, inevitavelmente sentirá frustração por não ter sido amado com exclusividade.

Mas, infelizmente, a maioria dos pais não tem muito para dar por estar perdidos na necessidade de cumprir seus papéis de genitores. Assim, acabam sentindo raiva por estar nessa condição e, muitas vezes, secretamente, desejam que o filho não existisse para se livrar do desafio que eles mesmos criaram. A criança acaba sentindo essa raiva aumentando ainda mais a sua frustração, que abre fendas no seu corpo emocional e gera pactos de vingança. Isso obviamente causa um círculo vicioso.

À medida que essa criança vai se desenvolvendo psiquicamente, acaba acionando outro mecanismo que também é uma lei deste plano: a projeção. Assim, começa a projetar nos outros suas imagens do passado, daquelas pessoas que não a amaram com exclusividade e foram a causa das suas primeiras frustrações.

Portanto, as acusações e a ideia de que temos inimigos estão entre os mais insidiosos e astutos jogos do psiquismo humano. Uma das principais raízes do sofrimento neste plano nasce de uma ilusão nuclear que faz com que você acredite ser separado do outro. A verdade é que, em última instância, o outro não existe, porque é uma projeção da sua interioridade.

Eu sempre sugiro, quando alguém acredita que o outro é um inimigo, que olhe para dentro de si para ver quem considera ser seu inimigo. Quem, dentro de você, é o inimigo que está se projetando no outro? Com quem você está brigando?

Essa ideia de termos inimigos é também uma das maiores distrações na nossa jornada em direção à consciência da plenitude, porque tira de nós aquilo que temos de mais valioso: o tempo. Nesta vida, quando menos se espera, o jogo acaba. E você não deve desperdiçar esse pouco tempo brigando com o outro, acreditando que ele é o seu inimigo, se vendo como uma vítima, achando que existem razões para se vingar. Isso cria um círculo vicioso que desencadeará muitos outros desdobramentos. É preciso compreender que essa ideia de que somos vítimas é uma manifestação da natureza ilusória, mesmo quando o outro nos faz mal de verdade.

Existem muitas maneiras de fazer mal, e talvez a principal delas seja fazer o outro acreditar que não é capaz de amar. Dessa forma, o círculo vicioso se perpetua. Mas, mesmo que o outro esteja encantado com sua própria história e, por conta disso, esteja lhe fazendo mal de verdade, em algum momento você precisará compreender que se colocou nesse lugar movido pela sua própria ilusão. Que você escolheu se colocar nesse lugar porque precisou validar sua história, porque precisou criar confirmações. Porque até mesmo a natureza ilusória tem uma inteligência.

Por exemplo, se você estiver vivendo a ilusão de ser inseguro e ciumento, inevitavelmente atrairá pessoas que vão ameaçá-lo e traí-lo. Dessa forma, confirmará a ideia de que é uma vítima e de que não dá conta da vida. Criará, assim, uma espécie de confirmação da miséria desejada pelo seu ego, que precisa justificar as suas limitações. Olhe aí o círculo vicioso de novo.

Precisamos acordar desse sonho e relembrar que somos seres espirituais que escolhemos vir para cá vivenciar a matéria. Nossa real natureza é luz e amor. Em algum momento, escolhemos conhecer a matéria e viver esta aventura, mas o preço a ser pago é submeter-se à dualidade, um véu ilusório que nos faz esquecer da nossa real natureza luminosa.

A vida é um jogo no qual você só é vitorioso quando lembra quem é e o que veio fazer aqui. E essa lembrança só pode despertar quando você perceber que não tem inimigos. Estando preso a essa ideia, estará longe de ganhar esse jogo. Quanto maior for a crença em inimigos à sua volta, mais rebaixada estará a sua consciência, mais identificado você estará com a criança que não recebeu amor exclusivo e precisa se vingar, fazer justiça com as próprias mãos. Isso é o adormecimento que o mantém cativo a um círculo vicioso de sadomasoquismo.

Despertar significa lembrar que você é uma manifestação do amor divino. Você não tem inimigos. Às vezes, o outro quer destruir você, mas isso é um problema dele, não seu. Isso não é motivo para fechar o seu coração. Você não deixa de ser quem é porque o outro está encantado com a história dele. O céu não deixa de ser céu porque as nuvens estão escuras, porque elas sempre passam e o céu permanece o mesmo. O Ser tem a natureza do céu, que é permanente e sempre o mesmo, apesar das nuvens que passam.

Em algum momento da sua jornada, você se tornará o amor que não muda com a reação do outro. E aí você começará a ser amigo do outro e sentirá compaixão ao vê-lo atormentado com a própria história, construída por sonhos ruins que, na verdade, são pesadelos.

Conforme você for despertando, também desejará ver o outro acordar. Então você reza para ele:

Prabhu aap jago. Paramatma jago. Mere sarve jago. Sarvatra jago. Sukanta ka khel prakash karo.

Que o amor desperte em mim, em todos, em todos os lugares, e traga a Luz para o jogo da alegria.

O grande desafio do ser humano é superar a carência afetiva gerada pelo desejo de amor exclusivo, acordando do sonho de separação do eu constantemente ameaçado por inimigos.

A minha proposta é uma espiritualidade prática e cirúrgica para reparar as relações. Por meio da autorresponsabilidade, é possível se libertar dessa ideia de que temos inimigos. Cada um deve se responsabilizar pelas próprias dificuldades em amar e perdoar. Por mais identificado que você esteja com suas mazelas e ainda tenha encontrado pessoas realmente maldosas no seu caminho, eu afirmo: você está onde se coloca! Ser uma vítima indefesa é apenas um jogo da sua natureza ilusória. Pode ser difícil entender isso, mas posso lhe provar que, em algum momento, você estará pronto e acordará desse sonho.

O ditado popular brasileiro que diz que "pimenta nos olhos dos outros é refresco" poderia muito bem aqui ser parafraseado para: "Autorresponsabilidade nos olhos dos outros é refresco". É fácil cobrar que o outro seja autorresponsável, que assuma seus erros e que peça desculpas. Difícil é nós mesmos vermos nossa responsabilidade nos conflitos, assumirmos nossas imperfeições e pedirmos desculpas.

Cada um está dando o seu melhor nessa aventura de acordar, batendo corajosamente na porta para alcançar a plenitude. Mas eu afirmo que vai chegar um momento no qual você perceberá que não há porta nem paredes. Tudo é fruto da imaginação, *maya*, uma ilusão. As barreiras foram criadas pela crença de que cada um é um eu separado. *Maya* é muito poderosa, mas, de vez em quando, surge a oportunidade de alguém colocar a cabeça para fora e despertar.

Quando a felicidade do outro incomoda

A projeção que você faz do seu eu no outro pode levá-lo a situações extremas, como desejar que o outro não seja feliz. Isso é a materialização de um pacto de vingança, que em algum momento poderá se voltar contra você. Esse exemplo está claro numa carta que uma aluna minha me escreveu, que dizia assim: "Um dia, quando estava rezando e entoando mantras que falam para que todos os seres sejam felizes, ditosos e estejam em paz, senti uma falta de sinceridade no meu coração. Como se algo em mim estivesse fazendo aquilo apenas por convenção. Senti-me hipócrita, porque não estava desejando realmente a felicidade do outro. Pelo contrário, descobri que essa felicidade do outro, na verdade, é um incômodo para mim".

O lado positivo dessa declaração sincera da aluna é que ela conseguiu identificar sua hipocrisia e seu egoísmo. Assumiu que não quer dar nada para ninguém e quer ser feliz sozinha. Existe uma doença que foi diagnosticada nessa carta. E esse é o primeiro passo para o despertar. Um aspecto nocivo da nossa personalidade só poderá ser superado quando o identificarmos. Ou, melhor dizendo, só é possível curar uma doença quando a diagnosticamos.

É preciso integridade e honestidade para conseguirmos alinhar pensamento, palavra e ação. A manifestação daquilo que realmente sentimos é uma possibilidade para nos libertarmos das profundas contradições que nos habitam. As máscaras podem nos levar para uma direção, quando estamos querendo ir para outra. No caso dessa carta, quem achava que o certo era rezar pelo outro era a máscara. Mas uma oração entoada por uma pessoa cheia de ódio não terá muita validade, será vazia. Não adianta cantar mantras e mais mantras sentado num saco de raiva que poderá estourar a qualquer momento.

A mentira e a verdade caminham juntas. É possível que você tenha lampejos de amor e, nesses momentos de abertura, cante e

Prabhu aap jago.
Paramatma jago.
Mere sarve jago.
Sarvatra jago.
Sukanta ku khel prakash karo.

Que o amor desperte em mim, em todos, em todos os lugares, e traga a Luz para o jogo da alegria.

reze pelo outro com sinceridade. Mas é inevitável que, em algum momento, você precise olhar de frente para o egoísmo e o ódio que o habitam, investigando, inquirindo, indagando: "Quem é esse outro que não quero que seja feliz?".

Isso significa olhar de frente para suas sombras, identificando sua hipocrisia e seu eu egoísta: "Não quero que ninguém seja feliz, quero que o outro se exploda". Agora, você deve se perguntar também: "Quem é esse outro que eu quero que se exploda?". Assim, começará a mapear seu ódio, que vai para fora, mas que, na verdade, é apenas um desdobramento do auto-ódio. Porque, no mais profundo, é tudo você mesmo, encantado com sua história e tentando fazer justiça com as próprias mãos. E sempre vai ter alguém vibrando nessa mesma frequência, desejando vingança. Como o mundo todo vibra nessa frequência, você vai acabar querendo que os outros se explodam e que só sobre você.

A desidentificação com essa personagem vingativa e egoísta da sua história começa com a identificação. Quando você diagnostica com que está identificado, tem início a desidentificação, o desencantamento. Quando você percebe que está preso em um pacto de vingança, pode despertar.

Às vezes, a máscara diz: "Eu quero me realizar espiritualmente". Mas o que você quer mesmo é ter uma mansão e ganhar muito, muito dinheiro. Por isso, é importante ter coerência, porque senão você acaba se confundindo.

O karma é mais uma das leis deste plano. Por conta disso, você pode ter algumas limitações, mas posso dizer que elas são relativas, porque, quando aprender a usar sua mente, você poderá fazer qualquer coisa. Tudo aquilo que se manifesta na matéria começa na mente; aquilo que você pensa, você cria. Aprendendo a usar esse conhecimento, você começa a brincar de Criador.

É fácil realizar desejos se você colocar toda a sua energia em uma direção. Querer uma coisa com todo o seu coração significa ter pensamento, palavra e ação reunidos em um único propósito. Assim, você se torna um raio de realização. Normalmente, se você não tem seus desejos atendidos, é porque pensa uma coisa e faz outra, fala uma coisa e sente outra. Enquanto a máscara o leva para um lado, a mente está indo para outro. O alinhamento é fundamental para alcançar os seus objetivos.

O empoderamento do ego é uma parte natural da jornada evolutiva, porque você tem que ter o que entregar, tem que ter algo a que renunciar. Sendo um mendigo, como você poderá renunciar ao dinheiro? Agora, se você é um rei, terá algo a que renunciar. A história de Sidarta Gautama, o Buda, sempre me encantou porque ele era um príncipe e tinha realmente a que renunciar. O que ele fez foi absolutamente corajoso. Mas você tem que ter um ego para entregar no processo de evolução espiritual. E parte do processo de cristalização do ego é saber realmente o que ele quer, até que você possa se saciar suficientemente, a ponto de querer somente Deus. Dessa forma, o ego poderá ser entregue com mais facilidade, pois você só vai querer mesmo a liberação espiritual.

Faz parte do jogo divino você entender aquilo que acha que precisa para que possa receber aquilo que você realmente precisa. É necessário se libertar das contradições e do autoengano e perceber as sutilezas de como a sua mente atua.

Equanimidade plena
e o poder do perdão

Na relação com o outro, da mesma maneira que existem as dores que você causa e que lhe são causadas, existe também um antídoto poderoso, que é o perdão. Aprender a perdoar é uma prática essencial para quem quer alcançar a plenitude. Você deve plantar sementes mesmo sem saber quando elas florescerão. Em algum momento, o véu da ilusão será rasgado e você poderá perceber a sutileza e a perfeição de tudo que o cerca.

Embora seja a dimensão do amor que o liberta da ideia de que você tem inimigos, o perdão não pode ser fabricado. Ele é um florescimento que acontece quando você está suficientemente maduro. O que você pode fazer é estimular esse florescimento por meio do conhecimento que vai provocar a compreensão necessária para poder perdoar verdadeiramente. O perdão o liberta do passado e da ideia de que tem inimigos. Você é tomado pela luz do amor que ilumina aquele que dá e aquele que recebe o perdão. Por isso, digo que o amor é Deus e Deus é o amor. O amor o liberta dessa teia ilusória manifestada pelo encantamento com a sua história, na qual você acredita ser apenas um filho, um pai, uma mãe, um irmão, um amigo, um marido, uma esposa. Aprendendo a exercer o perdão conscientemente, você se libertará do nó do apego ao drama e poderá manifestar sem obstáculos e naturalmente a plenitude que o habita.

Por isso, considero a libertação do encantamento com sua história aquilo de mais bonito que pode acontecer na sua vida. Assim, você assumirá sua própria responsabilidade e se libertará dessa trama gerada pelo jogo de acusações. Esse é o início de uma ascensão espiritual que o levará à plenitude. Você começará a despertar para além do conceito de iluminação espiritual. Digo isso porque vejo muitas pessoas se tornando egoístas enquanto alimentam o desejo de se iluminarem espiritualmente. A minha sugestão é você se tornar amigo do seu irmão: essa é a meta. Porque, quando você se tornar verdadeiramente amigo do outro, a iluminação será uma consequência. E, nesse momento, as portas do céu se abrirão – ou melhor, você perceberá que o céu não tem portas.

Agora, se você está ardendo no fogo da ira, da vingança, o que fazer? O meu conselho é ir buscando cada vez mais conhecimento, porque daqui a pouco o ego cochila e o amor o pega manifestando naturalmente o perdão. Então, quando menos espera, você estará se perguntando: "Cadê o inimigo para brigar? Qual desses 'eu' dentro de mim está sentindo ciúmes? Quem está se sentindo agredido? Quem acredita que existe um outro que está contra mim? Quem é o outro? Será que, quando eu abro os olhos, o outro continua lá? Ou será que ele está lá só quando estou com os olhos fechados e adormecido?". Quando você silencia, as perguntas desaparecem. Então, será que essas perguntas existem?

A jornada da plenitude é um experimento em direção à amizade que implica querer ver o outro brilhar, sem esperar nada em troca. Isso liberta. E, quando você estiver querendo esse bem para aquele que uma vez considerou ser seu inimigo, estará se libertando das prisões da mágoa, do rancor e da vingança. Quando desejar verdadeiramente ver o outro brilhar e ser feliz, quando disser com o coração: "Vá, meu amor! Vá e seja feliz! Seja livre! Livre para brilhar!", você estará passando na prova final da universidade da vida e acessando a plenitude que habita você. A chave principal para se alcançar esse estágio é perseguir a gratidão, que é a mais importante fragrância do perdão e é o que propicia a plenitude.

Quando falamos de perdão, aceitação e gratidão, algumas pessoas podem entender que estou sugerindo a anulação dos seus sentimentos em relação ao mal que o outro possa fazer. Uma espécie de imobilidade ou comodismo. Não é isso. Existe uma ação dhármica para sermos agentes de mudanças necessárias no mundo. Num aspecto mais global, isso envolve, inclusive, a política e os movimentos sociais. Mas temos que usar a equanimidade para que não sejamos impelidos a tratar o mal com um mal ainda maior.

Você precisa estabilizar a sua mente no momento presente e colocar o amor em ação. Caso contrário, estará apenas reagindo, reagindo, reagindo. E quem em você está reagindo? Querendo fazer justiça? Talvez seja aquele mesmo que não quer que o outro seja feliz. Observe que esse que está lutando por uma causa social, buscando justiça social, talvez seja aquele mesmo eu que quer que o outro se exploda. Então você se pergunta: "Estou querendo justiça social para quem?".

A espontaneidade sempre se manifesta com sabedoria e compaixão. Antigamente, quando o ser humano amadurecia a ponto de se tornar um *sadhaka*, um praticante, um buscador, ele ia aos pés de um mestre e ficava ali, prestando serviço, até que pudesse ter equanimidade suficiente para poder voltar para o mundo e agir a partir desse estado de presença. Dessa maneira, evitava justamente criar mais karmas ruins, se enroscar ainda mais, acreditando estar fazendo o bem. Isso acontece com quem está no processo de despertar desse sonho ilusório, porque, na verdade, existem pessoas tão adormecidas pelo encantamento do ego que nem questionam se estão fazendo o bem ou se estão fazendo o mal.

Se o fazer não nascer do coração, só irá alimentar o auto-ódio. Atualmente, as coisas mudaram, e o buscador passa um período junto com o mestre espiritual e depois volta para o mundo tentando manter essa conexão. Ele precisa compartilhar um pouco do que recebeu. Mas é preciso ficar atento para não correr o risco de reagir em vez de agir. Chega um momento em que você se torna sensível a ponto de perceber quando está se desviando do caminho da plenitude. O seu corpo emite um sinal de alerta, se contrai e você sente desconforto. É o corpo que revela seu desalinhamento.

Muitas dimensões do amor se manifestam com firmeza sem criar maus karmas, porque a ação que nasce da presença não deixa rastros. Ela o liberta ao invés de prendê-lo. Equanimidade não é calar diante das injustiças, mas agir a partir de um coração amoroso – que é a única maneira de a gente interromper esse círculo vicioso em que se trata o mal com outro mal.

Nesse processo, em que trabalhamos para nos tornar equânimes, precisamos lidar com outro aspecto, que é o desejo. Na sua forma humana, a deidade hindu Shiva tem o corpo coberto de cinzas, o que significa a vitória sobre o desejo. As cinzas são a última instância da matéria incinerada pelo fogo. Elas significam o fim da forma material. Assim, Shiva cobre seu corpo com cinzas, demonstrando que exauriu todo o desejo no fogo da consciência.

E, para conquistar o desejo, você precisa entrar em um acordo com ele, tomando consciência da sua existência. Se uma parte em você diz que deseja que o outro seja feliz, mas outra parte diz que não quer que o outro seja feliz, o que você está querendo de fato? Você quer realização espiritual ou realização material? Você pode perguntar: "Mas eu preciso realmente escolher uma coisa ou outra, não posso ter as duas? Afinal de contas, será que existe essa divisão?". Sim, essa divisão existe, mas apenas dentro de você. Então, é preciso dar um passo de cada vez e deixar claro para o Universo o que você quer, para que ele possa ajudar.

A visão divina do outro

Há milênios, a humanidade escolheu se organizar em comunidades. Dessa forma, a presença do outro no campo físico será sempre uma realidade. Então a minha proposta é que, se a gente tem que conviver com o outro, façamos dessa convivência uma prática de ver Deus nele. É preciso colocar em prática o ensinamento que foi tão insistentemente repetido por Sathya Sai Baba: "Amar a todos e servir a todos".

Quando a gente pode ver Deus no outro, isso significa que estamos nos movendo em direção à experiência da Unidade. Assim, estaremos realizando dentro de nós aquilo que a cultura védica chama de Brahman, o Absoluto. O Ser Supremo é único, vive em todos e fala por todas as bocas. Por isso, a gente canta em sânscrito *Lokah samastah sukhino bhavantu*: "Que todos os seres sejam felizes, sejam ditosos e estejam em paz". Para que a centelha divina dentro de cada um de nós, na forma do *jiva* (o indivíduo), possa se mover em direção à Unidade, que é Brahman.

Aquilo que chamamos de ignorância é a percepção da multiplicidade do eu e você. Enquanto vivermos nessa ilusão de separação, devemos trabalhar para amar a todos, servir a todos, indo além das projeções que nos fazem sentir humilhados e desejosos de vingança. Para servir a Deus, que também se manifesta no outro, precisamos romper com a identificação com a nossa criança ferida e com o nosso ego machucado. Assim, estaremos nos movendo em direção à experiência da Unidade. Isso nos trará uma evolução para podermos cantar conscientemente *Lokah samastah sukhino bhavantu*, desejando verdadeiramente que todos os universos e os seres que neles habitam sejam felizes e possam se realizar em Deus, a forma da Unidade.

A jornada da plenitude é um experimento em direção à amizade que implica querer ver o outro brilhar, sem esperar nada em troca.

———

Existe, então, esse primeiro estado de plenitude que vem dessa identificação com Deus projetado no outro. A partir daí, a gente acabará evoluindo para entrar num estado de êxtase provocado pela experiência da Unidade, que está além da forma – o que as escrituras védicas chamam de *advaita*, ou seja, sem dualidade, sem forma, impessoal. O caminho para alcançarmos essa plenitude é colocarmos em Deus a nossa mente viciada na materialidade. Precisamos recolher todas as partículas da nossa mente e focá-las em Deus. Isso é possível com a prática de *japa* (repetição dos nomes de Deus), *dhyana* (meditação), *seva* (serviço desinteressado) e do estudo das escrituras sagradas. Essa é a essência das ferramentas que promovem a plenitude.

Essas práticas espirituais que estou sugerindo são para aquelas pessoas que já conseguiram responder, em algum grau, às perguntas: "Onde está a felicidade? Como encontro a autorrealização e a plenitude num nível mais profundo e completo?". Porque, como ensinei no início deste livro, a pessoa passará por diversos estágios de plenitude, realizando o "sim" em diferentes áreas da sua vida. Então ela se alinha com a prosperidade e tem suas necessidades atendidas. O ego se fortalece, e ela aprende a transitar no mundo, até que chega uma hora em que começa realmente a questionar: "Puxa vida, isso é o suficiente ou tem algo mais? Será que vou realmente encontrar a felicidade ou a plenitude neste mundo?".

Em algum momento, a pessoa descobrirá que não encontrará a plenitude no mundo material e sensorial. A plenitude no mundo é sempre passageira. Como expliquei nos capítulos anteriores, é necessário aprender a lidar com a matéria, mas a gente vai descobrindo que a compra de uma casa nova ou de um carro novo, um casamento e até mesmo o nascimento de um filho são apenas momentos de plenitude passageira. Então a gente começa a questionar: "Mas onde é que eu consigo a plenitude capaz de me preencher?". É aí que entra essa nova etapa que é a nossa realização em Deus, na Unidade Divina. Assim, a pessoa, com certeza, sentirá a necessidade de se mover em direção ao *sadhana*, que é a prática espiritual que leva à autorrealização.

A plenitude expressa no livre-arbítrio

O nascimento humano é muito raro na roda de encarnações, que os orientais chamam de *samsara*. Então, se recebemos o privilégio de sermos humanos, essa é uma oportunidade para alcançarmos a plenitude. Isso é possível desde que a gente consiga superar a herança do nosso estágio anterior animal que nos limita a comer, beber, reproduzir e dormir. Mas, agora que nascemos humanos, precisamos usar os recursos de que dispomos, entre os quais o principal é o livre-arbítrio. Esse é o poder da vontade para que superemos as nossas tendências a repetir padrões oriundos dos nossos apegos às coisas que acreditamos nos proporcionar prazeres. Em resumo, estamos sempre fugindo das aversões e correndo atrás dos prazeres. O livre-arbítrio é o que nos dá a vontade para conquistarmos a plenitude verdadeira e duradoura. Ele permite, por meio de práticas espirituais, que nos entreguemos ao real, à verdade. E precisamos alcançar a nossa realização plena antes que a gente morra. Porque uma morte inconsciente nos levará a repetir o mesmo padrão de ignorância e sofrimento eternamente.

No entanto, quando a gente realiza a plenitude, por mais que ela esteja sujeita a oscilações, aprendemos a retornar para esse estado intencionalmente. Isso não é só uma questão de encontrar a bem-aventurança, é algo maior. Você se percebe guiado internamente pelo Ser Supremo, que nos Vedas é chamado de *Paramatma*. No meu caso, chamo esse Ser Supremo de *Sachcha*, que é quem me guia no fluxo da existência.

Vou dar um exemplo da orientação interior do Ser Supremo; *Sachcha* não me deixou sair da Índia durante a pandemia de coronavírus. Ele me mostrou claramente por que eu deveria ficar no momento em que tive dúvida. Quando a minha personalidade humana se manifestou, fiquei dividido: "Vou para o Brasil ou não vou? Pego o voo de repatriação ou não?". Então fui ao templo de *mahasamadhi* do meu guru Maharajji (onde ele fez a sua passagem espiritual e onde jaz seu corpo em plenitude) e ouvi a sua voz falar claramente dentro de mim: "Não vá, fique aqui". E senti todo o meu ser aceitando ficar.

Porém, num dado momento, minha personalidade também entrou em questionamento por conta de afazeres e das minhas responsabilidades no Brasil. Como tenho a minha filha para cuidar, me veio aquele sentimento negativo durante um instante, mas o próprio Ser Supremo já foi me confortando e me dizendo: "Deixe que eu cuido". *Sachcha* cuida, entrega e nos faz desapegar e relaxar no momento presente.

Assim, pude cada vez mais me aprofundar no estado de plenitude e comunhão com *Sachcha*. Fiz uma revisão de tudo que o meu mestre Maharajji me ensinou. Lembrei-me de certas coisas que ele me disse que já faziam sentido, mas que, depois de tudo que senti por meio do sofrimento humano com a pandemia de Covid-19, estão ainda mais claras. As palavras de um homem comum expressam a sua percepção da realidade mesmo que tenham uma sombra por trás delas. Elas manifestam duas versões no máximo: uma que é consciente e objetiva e outra,

Lokah samastah sukhino bhavantu.

———

Que todos os seres sejam felizes, sejam ditosos e estejam em paz.

subjetiva e inconsciente. Agora, as palavras de um ser iluminado são multidimensionais e vão se revelando com o passar do tempo.

Então entrei em êxtase ao descobrir as múltiplas dimensões dos ensinamentos do Maharajji. Tudo que ele me disse e me ensinou me proporcionou o desfrute de um lugar de comunhão com *Sachcha* e me fez entender mais profundamente o papel do meu corpo e da minha personalidade neste jogo do *Parivartan* da mudança de Era. Por isso, para despertarmos a fé verdadeira e a confiança no fluxo natural da existência, precisamos ter viva a lembrança de que somos guiados pelo Ser Supremo. Para isso, é preciso manter a mente sintonizada ao Divino e seguir com as práticas espirituais.

E o que pode ser mais importante do que encontrar dentro de si mesmo aquilo que nunca morre, aquilo que não se divide, que é a fonte de tudo?

O livre-arbítrio permite que cada um decida o que quer, qual caminho deseja seguir. Mas, na minha visão, a meta da vida é realizar Deus dentro de nós. E isso só é possível quando recebemos a graça Divina. Mas é importante lembrar que cada um tem que fazer a sua parte para receber essa graça de Deus, que está sempre soprando como uma brisa ventilando a nossa existência. E fazer a nossa parte é chegar a um acordo com o desejo para podermos, em algum momento, nos desapegar a ponto de poder colocar a nossa mente onde realmente ela deve estar, aos pés do Senhor.

O nosso livre-arbítrio nos permite escolher entre uma vida fugaz de prazeres transitórios e uma existência duradoura de eterna plenitude. Todos os desafios da nossa vida, as tormentas kármicas e todas as dificuldades pelas quais passamos são caminhos para o nosso encontro com o Amor. Tudo vem para a gente se purificar de maus karmas e dos nossos *samskaras* (tendências internas) para poder atingir a plenitude. Estando num caminho espiritual verdadeiro e tendo feito uma entrega sincera, seremos guiados para atravessar todos os obstáculos que surgirem na nossa vida e para aprendermos o que é necessário. Assim, então, realizaremos o grau de plenitude que poderemos alcançar numa encarnação.

Como diz o canto do meu amigo e padrinho Pedro Malheiros: "Que importa o sofrimento que me traz o desamor, se com ele eu aprendo qual é o verdadeiro amor?". E, nesse caso, claro que amor é sinônimo de *dharma*, a lei que sustenta e organiza o Universo.

Plenitude e declínio

A plenitude é só o começo de uma nova vida. Normalmente somos levados a acreditar que, ao se alcançar a plenitude, não existe mais a possibilidade de declínio. Mas não é bem assim. Enquanto estivermos num corpo humano, estaremos sujeitos às oscilações da energia. Por isso eu digo que a plenitude é um passo de uma nova jornada. Mas isso não significa que você deva se agarrar a ela como se fosse uma nova identidade. Agir dessa forma com certeza lhe trará problemas, pois você precisará ir e vir inúmeras vezes. Subir e descer. Abrir e fechar. A vida espiritual é como uma preparação para a transição de um estado a outro. E, para sermos bem-sucedidos nessas transições, precisamos manter a mente aberta como a de um aprendiz. Nesse processo, a humildade é a principal chave.

A transição ou mudança não é nossa inimiga. As dificuldades vêm para fazer com que o coração desperte em níveis cada vez mais profundos.* Também é Deus quem permite a própria negatividade que pode retornar em nossas vidas, para aumentar o nosso amor e a nossa fé. A vontade de Deus determina a abundância, mas determina igualmente o declínio. Porque, às vezes, a gente só aprende caindo. Então, esses ciclos são um remédio para as feridas mais profundas que carregamos.

Em épocas de grande vulnerabilidade e fragilidade, chegamos mais perto do nosso coração e dos mistérios transpessoais da vida. O Maharajji ensina que, se não conseguirmos lidar adequadamente com as contas abertas do passado, o karma vai nos lembrar disso e os conflitos não resolvidos irão reaparecer. E esse é um processo infinito.

É fácil cair na armadilha de que existe um lugar especial a atingir na vida espiritual. Maharajji me ensinou que o desejo de ser alguém especial é um grande obstáculo no caminho do autoconhecimento. Você só pode estar totalmente no presente e permanecer nele quando não tiver nenhum desejo de estar em qualquer outro lugar no futuro nem de ser diferente do que você é.

Quem acha que conquistou alguma coisa tem que ter cuidado, porque pode perdê-la. A perfeição não é deste mundo. Mas facilmente podemos cair na tentação de nos acreditarmos perfeitos. Nessas oscilações da jornada, o que nos segura é manter os compromissos espirituais e não abandonar a prática. E também a lembrança das nossas experiências espirituais verdadeiras.

Um versículo do livro *Os sagrados ensinamentos de Sri Ramakrishna* pode contribuir para o entendimento sobre a perfeição de uma pessoa realizada. Um discípulo pergunta para

---

* Aqui usei como inspiração o livro *Depois do Êxtase, lave a roupa suja* (Editora Cultrix, 2002), de Jack Kornfield.

Você só pode estar totalmente no presente e permanecer nele quando não tiver nenhum desejo de estar em qualquer outro lugar no futuro nem de ser diferente do que você é.

―――

Ramakrisnha: "Pode haver *maya* (ilusão) numa alma emancipada?". E o Mestre responde: "As joias não podem ser feitas de ouro puro; é necessário que elas estejam ligadas com algum outro metal. Enquanto o homem tem um corpo, ele também deve ter um pouco de *maya*, pelo menos o suficiente para permitir que o corpo continue desempenhando suas funções. Um homem completamente desprovido de *maya* não pode sobreviver mais de 21 dias".

6

PRÁTICAS: O PODER CONSCIENTE DA VONTADE PLENA

As práticas espirituais ou psicoespirituais que serão transmitidas a seguir são universais e acessíveis a todos. Elas são um ótimo ponto de partida para o buscador, que em um momento posterior da sua jornada provavelmente precisará de um guru para guiá-lo e com o qual terá que se comprometer por meio de um vínculo iniciático quando chegar a hora certa. Aqui, você aprenderá as bases fundamentais para o desenvolvimento de práticas mais avançadas se assim for necessário.

A plenitude é alcançada quando conseguimos equilibrar conhecimento e prática. Esse ponto de equilíbrio é essencial para o buscador ficar consciente da jornada que está empreendendo. Só o estudo não será suficiente para clarear o caminho rumo à plenitude, assim como só as práticas também não serão. A união (*yoga*) entre estudo (*adhyayana*), ação (*karma*) e disciplina (*sadhana*) aumentará as possibilidades de o buscador alcançar o seu objetivo.

Sidarta, no seu caminhar ao estado desperto de Buda, fez uma comparação para ilustrar a importância do equilíbrio na vida espiritual: um violão que tiver as suas cordas frouxas não emitirá as notas musicais. Por outro lado, se as cordas estiverem demasiadamente esticadas, arrebentarão, não emitindo som algum. Para as cordas do instrumento emitirem uma sonoridade agradável, é preciso que estejam ajustadas, nem tensionadas, nem relaxadas demais. Esse equilíbrio se tornou conhecido como o caminho do meio, a base do budismo.

O mestre Samael Aun Weor dizia que quem só estuda e obtém conhecimento, mas não o pratica, acaba se tornando um ignorante ilustrado. Isso porque nem todas as informações adquiridas serão transformadas em sabedoria. Afinal, a sabedoria só pode vir por meio da experiência que a prática proporciona. Da mesma forma, uma pessoa que só pratica, mas não tem conhecimento, acaba se tornando um santo ignorante. Ele fazia ainda uma analogia com a simbologia da cruz usada pela antiga fraternidade mística da Ordem Rosacruz. A haste vertical representa o Ser e a horizontal, o saber. O que a gente está buscando é o ponto em que as hastes se encontram, a interseção entre saber e prática na qual nasce a rosa, símbolo desse ponto de equilíbrio entre Ser e saber, entre intuição e razão, entre asas e raízes – um símbolo místico da interação em equilíbrio entre os dois hemisférios cerebrais.

O conhecimento transmitido neste livro é uma síntese do que a pessoa precisa saber para alcançar a plenitude. É uma intercessão cirúrgica que vai aos pontos nevrálgicos para não intoxicar a mente com conhecimento excessivo – porque tudo que é demasiado se torna tóxico, até mesmo o conhecimento. Então, estou buscando a precisão e transmitindo o que é necessário para que a pessoa possa se entusiasmar, se motivar e realizar as práticas que vão transformar o conhecimento em sabedoria.

O mestre Samael dizia ainda que mais vale uma hora de prática do que a leitura de mil livros. Na época, eu achava essa analogia um exagero. Mas, hoje, entendo que talvez ele estivesse se referindo àquela pessoa que se dedica somente à horizontal, a ler, ler, ler, adquirir conhecimento, mas que não se dedica a colocar em prática aquilo que aprende. Então, para essa pessoa, realmente uma hora de prática tem um valor tremendo. O caminho da prática espiritual é conhecido dentro do universo védico como *sadhana*, uma palavra em sânscrito que significa "a disciplina que promove o despertar da consciência e da energia kundalínica". É o casamento alquímico do masculino com o feminino dentro de nós mesmos que provoca aquilo que chamamos de plenitude.

A fase zero desse processo é o despertar do observador interior que realiza a auto-observação. Fazendo um paralelo com o *dharma* védico, temos a *Bhagavad Gita*, um texto de dezoito capítulos em que o Senhor Krishna ensina ao seu discípulo Arjuna a ciência da autorrealização, o yoga que propicia a liberação do ciclo de morte e nascimento, descondicionando a mente do sofrimento. Arjuna representa o Eu consciente, o herói da jornada, o Eu observador que escolhe ler esse livro e realizar as práticas espirituais. Krishna é o Eu divino, o Ser, aquele que transmite os ensinamentos para guiar o discípulo, o guru que se manifesta no mestre espiritual na forma de um ser humano. A própria vida em si é um guru ensinando por meio de sinais e sincronicidades. Mas há ainda o guru interior, que é o Ser em si, a intuição que nos mostra sutilmente o caminho a seguir.

Arjuna é um guerreiro que precisa lutar e vencer uma batalha que está destinada a ser vencida. Mas ele está enfraquecido por um dilema moral, porque terá que matar parentes, amigos e professores, que estão no exército adversário. Eles são, na verdade, os nossos eus inferiores, os vícios e apegos com os quais, às vezes, não conseguimos lidar, porque nos encontramos enfraquecidos, misturados e identificados com eles. Extraímos prazer desses vícios, por mais destrutivos que sejam. A energia da vontade, que todos temos, está contaminada pelos vícios e emoções impuras. Krishna ensina Arjuna a purificar o poder da alma a ser utilizado para o bom combate. E todo esse processo começa com o despertar da consciência ligado ao desenvolvimento da auto-observação.

Krishna faz com que Arjuna se empodere por meio da vontade porque o observador, que é o Eu consciente, precisa crescer. A vontade que escolheu ler este livro e realizar as práticas precisa se fortalecer. E como isso acontece? É aí que entram as práticas de karma yoga e auto-observação.

Prática de karma yoga

Antes das práticas de introspecção, quero apresentar a prática de ação, ou karma yoga, que pode trazer enormes benefícios. Um dos principais ensinamentos da *Bhagavad Gita* é a ação correta e renunciada, ou seja, a ação desinteressada, pela qual a pessoa não espera receber nada em troca.

Esse é um poderoso instrumento de purificação do egoísmo e do narcisismo, pois, aos poucos, a pessoa vai tomando consciência de que os anseios de todos os seres são os mesmos. Além disso, o karma yoga contribui imensamente para nos fazer parar de "olhar apenas para o nosso próprio umbigo" e nos abrir para as necessidades dos demais.

A minha sugestão aqui é que aqueles que se sintam prontos separem um tempo semanal para dedicar a algum trabalho voluntário. Na hora de escolher que tipo de trabalho realizar, reflita um pouco sobre suas inclinações pessoais, suas habilidades especiais e as tarefas que mais o atraem. As possibilidades de ajudar os necessitados são inúmeras. Que tipo de população desfavorecida atrai a sua atenção? São as crianças? Os sem-teto? Os detentos? Pense em como você pode ajudá-los. Além disso, existem muitas instituições de apoio com as quais é possível entrar em contato e contribuir.

O karma yoga abre as portas para os demais yogas. Esse tempo de doação a causas do bem pode iluminar muito a escuridão interior, mas desde que seja feita com a intenção sincera de renunciar ao fruto da ação.

Prática de cultivo do silêncio 1

Vou começar ensinando a prática de cultivo de silêncio mais básica, mas não desdenhe do poder da simplicidade. É uma prática simples, porém muito poderosa quando o buscador faz com empenho e dedicação. Ela tem como objetivo desenvolver o poder da vontade, fortalecer o auto-observador, acalmar a mente e promover a concentração e o relaxamento, trazendo uma série de benefícios nos níveis físico e energético. Essa prática prepara o nosso campo energético para o gerenciamento de emoções, da ansiedade e de tantos outros conflitos que acontecem na nossa mente.

Assim como Arjuna está misturado com os seus eus inferiores, que são seus pensamentos negativos, nós estamos embolados com a nossa mente, que se transforma em palco de todo tipo de conflito, como angústias, ansiedades e depressões. A prática permitirá ao observador se dissociar desse fluxo de pensamentos positivos e negativos. A ideia é criar um hiato entre aquele que observa e aquilo que está sendo observado, como quem observa as nuvens que em alguns momentos são claras e, em outros, escuras. A mesma coisa acontece com os nossos pensamentos, que variam entre o positivo e o negativo: se nos misturamos com eles, nos perdemos. Precisamos aprender a observá-los sem correr atrás deles. Seremos apenas uma testemunha que observa com serenidade o fluxo, sem julgar nem criticar. Essa prática de cultivo do silêncio é passiva.

Antes de tudo, é preciso encontrar uma postura adequada que envolva conforto e estabilidade, em que você possa permanecer sem se mexer, mas mantendo o corpo alinhado. Se estiver sentado numa cadeira ou em posição de lótus, a coluna deve ficar ereta de maneira que as costas não estejam escoradas em nada. Existe uma série de canais ao longo da coluna que precisam estar livres para fluir. A cabeça deve seguir o prolongamento natural da coluna. Se estiver numa cadeira, os pés ficam paralelos, apoiados no chão. As mãos podem formar algum gesto (um *mudra*) simbólico e magnético. Sugiro o *Shiva mudra*, que evoca a receptividade – o dorso da mão direita se apoia sobre a palma da mão esquerda, os polegares se tocam e os braços relaxam sobre as pernas. Os olhos, que são as janelas da mente, se fecham com suavidade. É possível, em alguns casos, praticar com os olhos abertos, mas,

Posições para a meditação

Meia Lótus

A coluna e a cabeça devem estar alinhadas, sem se escorarem em nada. Flexione seu joelho direito e leve o dorso do pé direito para trás, flexione seu joelho esquerdo e posicione o dorso do pé esquerdo sobre a coxa direita, na dobra do quadril.

Shiva Mudra (mãos)

O dorso da mão direita se apoia sobre a palma da mão esquerda, os polegares se tocam.

Sentado

Os pés devem ficar paralelos e apoiados no chão (quando estiver em uma cadeira). As mãos estão em um gesto simbólico e magnético (mudra). Os olhos ficam fechados ou semicerrados. O foco deve estar na respiração.

nesse exercício, indico uma introspecção necessária, para poder voltar-se para dentro. Assim, é melhor fechar os olhos.

Estando na postura adequada, o próximo passo é levar sua atenção ao fluxo da respiração, que deve ser suave e profunda, feita sempre pelas narinas. O observador se concentra no ar que entra e sai pelas narinas de forma suave. Assim, observando a respiração, você também observará o fluxo de pensamentos, de emoções, de sensações sem, no entanto, seguir esses pensamentos, emoções e sensações. Você apenas os percebe e deixa passar e, em seguida, leva de volta o foco à respiração, procurando estabelecer-se nesse vazio, sem precisar pousar em canto nenhum.

Um pensamento vai se encadear com outro e a identificação com eles inevitavelmente lhe contará uma história que vai gerar um julgamento. Esses pensamentos são oriundos das impressões dos objetos do mundo sensorial e vão se transformar em emoções e em sensações, o que nos leva a nos desconectarmos de nós mesmos. É preciso deixar os pensamentos passarem e permanecer nessa prática por algum tempo. Sugiro começar devagar, testando o seu limite pouco a pouco. O ideal é chegar a um estágio em que se possa praticar por vinte minutos diariamente, preferencialmente no mesmo horário e local.

Esse é o ponto de partida, a fase zero do processo. Mesmo que a pessoa comece com cinco minutos, depois poderá aumentar o tempo gradualmente até alcançar os vinte minutos. Eu proponho que o praticante estabeleça um compromisso, por exemplo, de praticar por 21 dias. Há toda uma lógica por trás desse número, porque esse é o tempo para que o cérebro se ajuste a realizar novas sinapses e as redes neurais se estabeleçam. Então, se conseguir por 21 dias, ótimo. Se não, precisará começar de novo, até alcançar a meta. Depois de conseguir cumprir essa primeira

A meditação em si é um fenômeno que acontece na Unidade.
São lampejos de plenitude que a gente não controla.

———

etapa, o próximo passo será alcançar quarenta dias e, em seguida, três meses. Assim, a prática se estabelecerá dentro da pessoa e se tornará um estilo de vida. Obviamente, para alcançar esse nível, será preciso um esforço, mas chegará um momento em que o sacrifício desaparecerá e a prática se tornará natural.

Essa prática traz alguns benefícios que considero fundamentais: o relaxamento e a concentração, que são a base do estado meditativo. A meditação em si é um fenômeno que acontece na Unidade. São lampejos de plenitude que a gente não controla. Quando o divino emerge e se manifesta, entramos em comunhão com todas as coisas do Universo e experimentamos a Unidade. Mas, para isso, se faz necessário desenvolver o relaxamento e a concentração.

Prática de cultivo do silêncio 2

Agora vou ensinar uma caminhada meditativa que também está na esfera do cultivo do silêncio para abrir os canais da meditação de uma forma ativa. Essa é uma prática que costumo utilizar em meus retiros, normalmente pela manhã, mas pode ser feita em qualquer momento do dia. Ela conjuga uma caminhada bem tranquila, relaxada, com uma respiração ritmada. A respiração continua sendo pelas narinas, porém agora incluímos um ritmo.

A respiração é uma ponte para o eterno que se manifesta pela prática do *pranayama*, a ciência do controle do prana, a energia essencial do corpo. Por meio de exercícios respiratórios específicos, é possível manter a nossa estabilidade bioenergética. A respiração contém quatro fases: a inspiração, a retenção de ar nos pulmões cheios, a expiração e a retenção com os pulmões vazios. Normalmente, ela é um ato inconsciente e não a percebemos. Mas, quando fazemos uma prática de cultivo do silêncio, a respiração se torna consciente e percebemos a inspiração e a expiração acontecendo. As retenções com ar e sem ar quase não são percebidas, mas são momentos especiais em que a vida e a morte se encontram. Esses espaços são muito explorados na ciência do *kriya yoga*.

Nesta prática, vamos dar atenção a todas essas quatro fases. Inspira-se em quatro tempos, retém-se o ar nos pulmões em quatro tempos, expira-se em seis tempos e retêm-se os pulmões vazios por dois tempos. Que tempos são esses? Seria algo semelhante ao ritmo cardíaco, mas, para facilitar esse exercício, será uma contagem por segundos. Então, contando, você inspira, dois, três, quatro, retém, dois, três, quatro, expira, dois, três, quatro, cinco, seis, retém, dois, inspira, dois, três, quatro... e assim sucessivamente.

A respiração é focada na garganta e se torna ruidosa quando o ar passa por ela, fazendo um leve sussurro. Essa técnica pode ser utilizada também em outras práticas, porque ajuda muito a relaxar e se concentrar. Ela pode ser feita antes de dormir, para um sono mais profundo, e também utilizada para gerenciar a ansiedade. No entanto, neste caso que apresento agora, a ideia é aprender essa respiração para sincronizá-la com os passos no caminhar meditativo.

Durante a respiração pelo nariz, coloca-se também a ponta da língua no céu da boca. Existe um subchakra na ponta da língua e outro no céu da boca – quando eles se conectam, cria-se uma ponte por meio da saliva para que a energia da morada de Shiva, que está conectada com a glândula pineal, possa descer e entrar na corrente linfática, criando o *samarasa*, que é uma preparação para o *samadhi*. A gente experiencia gostos diferentes, geralmente começando com ácido e indo até o doce, passando por vários sabores. Quando chegar ao doce, você engole a saliva. Essa é uma prática milenar do yoga, transmitida de mestre a discípulo, normalmente de boca a ouvido, mas chegou o momento de compartilhá-la com o mundo.

Então, respirando, a língua no céu da boca, vamos estabelecer uma sincronia com os passos. Cada tempo da respiração é um passo. Portanto, você inspira, dois, três, quatro, e vai sincronizando essa contagem com os seus passos. O último elemento da prática é a atenção plena, também conhecida como *mindfulness*. Você sente o contato dos pés com o chão, o seu corpo se movendo e, assim, entra em contato com toda a natureza. Para começar a sentir mais claramente os efeitos dessa prática, sugiro que você faça essa caminhada consciente por, no mínimo, vinte minutos.

Outra opção é sentar-se de maneira confortável e fazer apenas a respiração ritmada, sem a caminhada. Nesse caso, de seis a doze ciclos são suficientes para você sentir uma harmonização das correntes energéticas do corpo. Ao fazer essa prática, você também notará que, ao perceber-se relaxado, já desfrutando dos efeitos desse ritmo respiratório, a sua respiração naturalmente retornará ao seu fluxo normal.

A prática do autoconhecimento

Este é outro exercício que tem o objetivo de desenvolver a observação, mas indo um pouco além. Aqui começamos a entrar na esfera do autoconhecimento. O objetivo é abrir os canais do entendimento traçando relações de causa e efeito entre as coisas que estão acontecendo em nossa situação de vida, observando as nossas repetições negativas e as suas possíveis causas – refletindo

A respiração deve acontecer em quatro fases: inspiração, retenção do ar (dentro) e expiração, retenção do ar (fora).

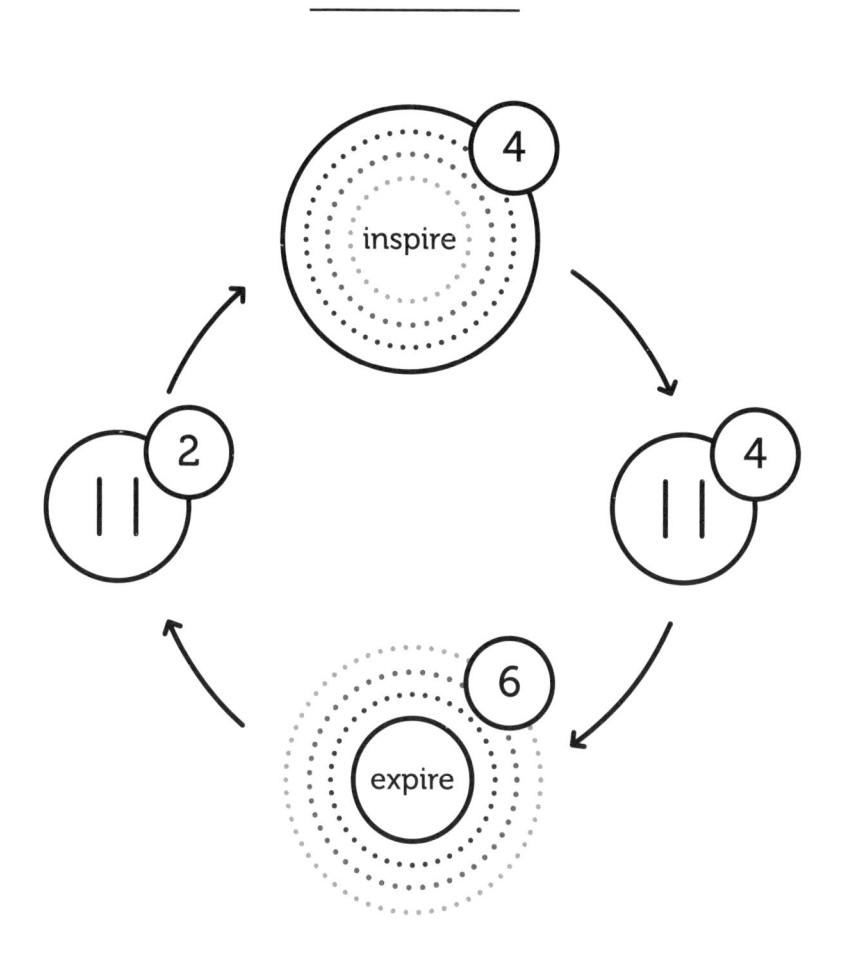

---

4 inspire

2 ||

4 ||

6 expire

A inspiração deve acontecer em quatro tempos (pode ser segundos, batimentos cardíaco...). A retenção do ar (dentro) acontece em quatro tempos. A expiração é mais lenta e deve acontecer em seis tempos. A retenção do ar (fora) é mais breve e deve acontecer em dois tempos. Quando encerrado, o ciclo se repete.

se elas vêm do nosso mundo emocional, mental ou são efeitos dos nossos karmas.

A verdade é que Deus e o amor são muito simples, a mente é que complica tudo. Então, a simplicidade é a essência dessa prática. Antes de dormir, a pessoa faz uma retrospectiva do seu dia, desde o acordar até a hora em que foi se deitar. Assim, ela identifica os momentos de conflito, de tensão e nos quais se perdeu, falando o que não deveria e, consequentemente, ouvindo o que não gostaria de ter ouvido. Ela busca perceber quando usou equivocadamente o poder da palavra abrindo portas para karmas negativos.

Paralelamente, deve recapitular os momentos em que se sentiu em crise ou em conflito, em que sentiu ansiedade ou outro tipo de inquietação. Deve tentar perceber quando se distanciou do seu próprio Ser por ter se distraído e o que instigou essa queda. Foi uma conversa com alguém? Alguma provocação? Uma situação, uma lembrança? Assim, ela começa a mapear aquilo que ainda precisa ser trabalhado dentro dela, o que ainda precisa ser compreendido para que o perdão e a gratidão sejam iluminados e o desapego possa acontecer.

À medida que a pessoa vai crescendo no silêncio e no autoconhecimento, que são as duas bases para transformar o conhecimento em sabedoria, ela pode iniciar as práticas consideradas espirituais, como a repetição de mantras (*japa*), orações específicas e cantos para as entidades divinas em que acredita.

E aí entra a meditação, que é esse fenômeno de comunhão que surge quando a pessoa não está fazendo absolutamente nada e pode simplesmente ser. Deixar todo o fazer de lado equivale a permanecer no seu centro, relaxado, simplesmente testemunhando o fluxo. Esse testemunhar possibilita a meditação. O objetivo da prática do cultivo do silêncio é fortalecer o observador como testemunha.

Prática de atenção no cotidiano

As práticas ensinadas até agora exigem algum tempo de dedicação. Você precisará parar durante alguns minutos no seu dia para fazê-las. Esta que veremos agora, no entanto, não requer que você pare, mas que utilize as tarefas do seu dia a dia. Para isso, você deve prestar atenção ao seu corpo físico, que é um portal. Nesse lugar de plena atenção, vamos, aos poucos, aprendendo a identificar os pensamentos e a soltá-los, nos libertando das emoções e sensações. Nós soltamos todos os pensamentos que geram perturbação, aqueles com os quais percebemos que estamos nos identificando. Assim, a base continua sendo a observação, acrescida da totalidade na ação.

Enquanto estiver fazendo as coisas do seu cotidiano, faça um esforço para permanecer no aqui e agora. Esteja pleno nas ações, observando o fluxo psicológico do tempo, renunciando ao passado e ao futuro, estabelecendo-se no momento presente e simplesmente testemunhando o que se passa dentro e fora de você enquanto se move e age no mundo.

Como a inconsciência é muito poderosa, é natural que a gente se esqueça desse compromisso estabelecido. Quando menos se espera, estamos sonhando de novo, imersos nas histórias que contamos a nós mesmos, em pensamentos sobre as situações que surgem. Sugiro que a pessoa se programe, por exemplo, para tomar um banho consciente, sentindo a água caindo no corpo, passando sabonete, totalmente presente, sem se identificar com os pensamentos. Para fazer as necessidades fisiológicas matinais de forma consciente, almoçar de forma consciente e por aí vai. A minha sugestão é escolher algumas atividades da rotina diária para imprimir essa qualidade da presença na totalidade da ação.

Mesmo que a pessoa consiga estar totalmente presente somente em alguns segundos no dia, isso já é suficiente para uma mudança de consciência. Assim, pouco a pouco, essa percepção aguda da presença vai crescendo. Nesse sentido, é importante não realizar a atividade escolhida mecanicamente. Se perceber que isso está acontecendo, vale a pena começar tudo de novo. Por exemplo, você está lavando a louça. Se perceber que está adormecendo, distraído, indo atrás dos pensamentos, comece de novo. Respire, solte o pensamento e recomece.

Outro truque que pode ser utilizado para desenvolver a atenção plena da presença é, de tempos em tempos, quando estiver realizando alguma atividade, por alguns instantes parar por completo e brincar de ser uma estátua. Estando paralisado, pergunte a si mesmo: "Onde estou? O que estou fazendo?". Identifique os pensamentos e veja se realmente está presente ou se está perdido em histórias criadas pela sua mente. Assim, é possível se esvaziar e se colocar totalmente na ação.

Prática devocional

Agora entraremos em um campo mais devocional ou espiritual. Como nessas práticas transitamos da dualidade para a unidade e vice-versa, a oração pode ser compreendida também como um diálogo do Eu consciente com o Eu divino. Na verdade, é possível entender a oração de diversas formas. Por exemplo, a oração pode ser uma confrontação consigo mesmo. Assim, uma prática de autoinvestigação pode ser considerada uma oração. Mas, neste momento, o que chamo de oração é o diálogo consciente com o Eu divino. Costumo utilizar e ensinar aos meus estudantes uma oração que é uma herança que trago da escola gnóstica na qual estudei quando era jovem.

Depois de alguns momentos de cultivo de silêncio, estando mais relaxado e com atenção concentrada, visualize no centro do peito uma luz azul – que simboliza o mestre interior, o guru interno, o Buda, o Cristo dentro de você. Dialogue com ela.

Você pode dizer, por exemplo: "Minha mãe, meu pai, Deus em mim, meu Ser, graças infinitas lhe dou por tudo quanto tenho recebido, por tudo aquilo que já posso compreender e por tudo aquilo que ainda não compreendo, porque eu sei que os desafios são obstáculos divinos que você coloca no meu caminho para que eu possa aprender mais, para que eu possa me aproximar mais de você. Você é o meu melhor amigo. Que eu seja eternamente um com você. Que a nossa ligação nunca seja quebrada. Que cada palavra que sai da minha boca seja a expressão do seu Santo Verbo, que cada ato por mim praticado seja a expressão da sua Santa Vontade".

Esse é um caminho para o diálogo do Eu consciente com o Eu divino, indo da dualidade para a unidade, do dois para o um. Mas é apenas uma sugestão, a pessoa pode ficar livre para dialogar com o divino da forma que sentir ser melhor. Sugiro fazer essa oração todos os dias, de manhã e à noite. Quando acordar e antes de dormir, faça esse diálogo e vá buscando a conexão com a fonte.

O poder dos sons sagrados

Japa significa a repetição de um mantra com algum nome divino. São palavras de poder, fonemas que agem sobre o sistema psicofísico e energético por meio do fenômeno da ressonância sonora com o objetivo de desbloquear retenções de energias, abrir canais e ativar nossos potenciais. O mantra é uma ciência milenar, também conhecida como *spothavada*, a deificação de palavras. *Om* é o som primordial nascido do vazio e que manifesta o poder de Brahman, o Absoluto na cultura védica. Esse som contém passado, presente e futuro, as deidades Brahma, Vishnu e Shiva, a criação, a conservação e a destruição. Desse som nasce tudo, todos os sons que existem e vibram em todo o Universo musical.

O *mantra yoga* é uma ciência iniciática que só pode ser transmitida de guru a discípulo. Mas, enquanto a pessoa ainda não encontrou um guru para ser iniciada, poderá trabalhar com mantras universais com os nomes divinos, que não têm a necessidade da orientação direta. Os mantras suavizam os karmas negativos e inspiram ao caminho do *dharma*, da conduta correta.

Se a pessoa vem de uma tradição cristã, por exemplo, pode repetir o nome de Jesus, o Cristo. Há uma oração muito bonita em que os padres do deserto diziam assim: "Jesus Cristo, filho de Deus, tenha piedade de mim". É tão bonito isso. Um cristão poderá se conectar com o Sol através de um dos seus raios, que é Jesus Cristo. O Sol é Deus, é o Todo, e o raio é uma das suas manifestações, um dos seus nomes, uma de suas encarnações e uma de suas pontes de acesso. Então, é poderoso repetir o nome "Cristo, Cristo, Cristo".

No entanto, se existir alguma identificação com a tradição oriental, a pessoa poderá simplesmente repetir internamente Krishna, Rama ou Shiva todos os dias, por alguns minutos. A pessoa senta e fica focada na divindade eleita por ela, com a atenção concentrada, repetindo aquele nome em silêncio dentro de si, se conectando com aquela manifestação divina. Esse é um exercício muito poderoso.

Meditação no vazio

Nesta técnica, a pessoa começa utilizando alguma das práticas anteriores para o cultivo do silêncio, com a atenção focada na respiração e no entrecenho (ponto central entre as sobrancelhas, chamado de *ajna* na cultura védica). Ao alcançar o relaxamento, ela passa a observar o fluxo de pensamentos e foca a atenção no espaço vazio entre um pensamento e o seguinte. Assim, por um instante, ela permanece no vazio, sem se aterrar, sem se identificar com coisa alguma, totalmente solta nesse nada. Ela vai soltando tudo, encontrando uma fenda entre os pensamentos, um espaço entre as nuvens para ficar suspensa nesse vazio. Essa é uma prática muito poderosa, que proporcionará a experiência de plenitude ou de *samadhi*.

Epílogo

SUSTENTANDO A PLENITUDE

—

Se você chegou a este ponto na leitura deste livro e colocou em prática alguns dos ensinamentos transmitidos, é muito provável que tenha tido vislumbres de plenitude. Possivelmente deve ter tido também alguma conexão com a fonte eterna de *Sachcha*, que significa "verdade" em hindi.

Agora o desafio será sustentar esse canal aberto para acessar a plenitude em diferentes momentos da sua vida. Isso será possível toda vez que você sintonizar a sua mente com o Divino que habita o seu interior. Quando puder manter a comunhão com o seu espírito, toda a ignorância e todas as dúvidas criadas pela sua mente desaparecerão. Inclusive as tendências autodestrutivas mais profundas, que, mesmo depois de tantos trabalhos psicológicos, ainda não foram eliminadas.

Mas, para conseguir manter a comunhão com o espírito, é preciso disciplina. Eleja um lugar e recolha-se nele diariamente toda manhã e todo anoitecer. Pratique *japa*, meditação, oração e autoinvestigação. Maharajji costumava dizer que, se as pessoas realizam essas práticas com dedicação e desapego ao fruto da ação, alcançam seu objetivo quando menos esperarem. Ele também afirmava que, se um buscador sincero dedica diariamente um tempo para realizar essa conexão com o Divino, no começo, pode ser difícil. Porém, com o passar do tempo, o praticante ansiará por esse momento de recolhimento, silêncio e oração.

Então, é importante que você equilibre o seu tempo entre as suas atividades cotidianas profissionais, familiares, sociais e uma prática baseada na consciência do propósito. Isso transformará em serviço a sua ação no mundo. Independentemente da sua carreira e do seu trabalho na sociedade, dedique também algum tempo para o serviço desinteressado. Empreste os seus talentos a projetos que tragam luz às consciências das pessoas, sem querer nada em troca. Se ofereça para trabalhos simples como limpar um templo, uma instituição social ou uma comunidade. Esse desapego à recompensa é a chave para você se aprofundar no autoconhecimento que lhe permite sustentar a plenitude.

Compreenda que, sem a entrega verdadeira à espiritualidade, não é possível adquirir paz mental, que é a base para a sustentação da plenitude. O resultado dessa perseverança será fé, devoção e autoconhecimento – que, fundidos, podem ser interpretados como felicidade real. Entenda que fé é diferente de crença. Porque a fé manifesta a confiança mesmo quando não temos certeza do que vamos encontrar pela frente, enquanto a crença pressupõe uma troca: eu acredito em tal coisa ou numa determinada religião que me dará a segurança de adquirir isso ou aquilo. Assim como a verdadeira devoção também não depende de condicionantes, porque o Amor flui naturalmente além da dúvida. O objeto da devoção é, na verdade, uma projeção daquilo que já existe dentro de você e que o guiará na realização do seu propósito.

No início, é bastante natural que o buscador se depare com a mente intranquila e queira desistir do compromisso de realizar as suas práticas espirituais e a autoinvestigação que sustentarão o conhecimento da plenitude. Mas essa zona de resistência poderá ser atravessada por meio de uma disciplina consciente. Não deixe de praticar por nem um só dia. Foque sua mente naquilo que trará liberação e, com certeza, em algum momento, você se perceberá em comunhão com o seu objetivo. Comece dedicando um período de tempo que lhe seja confortável para essas práticas e vá aumentando gradualmente.

Esteja atento também à sua alimentação. Um meditador deve comer com sabedoria, nunca enchendo totalmente o estômago, porque isso será um obstáculo para a serenidade da mente. A moderação alimentar é essencial para uma digestão saudável, que é a chave para a saúde do corpo e da mente. Não é possível se concentrar internamente com o estômago cheio e em alta atividade para digerir alimentos pesados. Dessa forma, a sua energia estará quase toda concentrada na combustão digestiva, sobrando pouco para a prática meditativa.

A ciência do *raja yoga* ensina que a meditação começa quando o corpo se aquieta e se harmoniza. Nesse estado, é possível adentrar o caminho da sabedoria. E um sábio domina os seus próprios impulsos e mantém as suas paixões a rédeas curtas. Ele pratica intencionalidade e austeridade inteligentes, que nascem da compreensão do propósito daquilo que está fazendo. Toda obsessão leva ao desequilíbrio e à perda da presença. Se você quer realizar Deus, ou, em outras palavras, sustentar a plenitude, pratique as disciplinas espirituais com paciência e perseverança. Quando você estiver pronto, o Supremo revelará sua graça.

O estudo e a prática devem estar associados. Faça a sua parte e aguarde sem expectativas, porque o apego ao fruto da ação é um jogo da mente que quer barganhar com o tempo que você dedica ao Divino. Obviamente, a ausência de resultados (da experiência direta de Deus ou de êxtase) pode gerar frustração e, consequentemente, cansaço e até mesmo desespero. Mas tenha calma e paciência. O que estou lhe propondo é baseado na minha própria experiência e também na de muitos outros *yogis* que conheci e que trilharam esse mesmo caminho. Em algum momento, Deus se revelará, indicando o caminho para você se manter em plenitude. Em suas orações, peça que Ele se revele. Diga com honestidade:

Prabhu aap jago. Paramatma jago.
Mere sarve jago. Sarvatra jago!

Revela-te! Concede-me a tua Graça. Concede-me fé e devoção. Acorda em mim! Acorda em todos e em todos os lugares!

Em vez de se perder em conversas fúteis, repletas de julgamentos que só alimentam o ego, busque a companhia dos sábios. Afaste-se daqueles que tentam incutir em você a dúvida e que estão apegados às realizações materiais e sensoriais que o desviam do caminho sagrado. Busque unicamente o sagrado e a plenitude se fará presente na sua vida.

Plenitude é a expressão da consciência do Ser. Ao nos tornarmos conscientes do Ser, naturalmente experimentamos a bem-aventurança. Plenitude é estar em Unidade, portanto em paz consigo mesmo e com a vida. Plenitude é sinônimo de iluminação espiritual. Plenitude é sentir-se completo, independentemente do que você tenha conquistado na matéria. Assim, toda a jornada nos leva para dentro, a fim de realizarmos aquilo que já somos.

Humildade, gratidão e verdadeira amizade são os faróis que iluminam o nosso caminho.

Existe um ditado que diz: "Antes da iluminação, corte lenha e carregue água. Depois da iluminação, corte lenha e carregue água". Aquele que é capaz de manter a paz interior apesar das circunstâncias atingiu a plenitude.

Posfácio

A PLENITUDE DA PLENITUDE

A vida e as dificuldades andam sempre juntas. Bem que gostaríamos de separar a vida da dificuldade, mas isso não é possível, já que, se fosse, não seria mais a vida. Seria outra coisa, que nossa condição humana não reconheceria como própria.

O desejo de todo ser humano de ter uma vida melhor também faz parte da vida. Sobreviver não é apenas uma vontade animal – até um inseto rechaça a morte –, mas, no ser humano, a sobrevivência é seu Deus, daí o homem unir a concepção de Deus à ideia de imortalidade.

Estar com Deus, sentir Deus, ser Deus é sua ânsia; satisfazer a necessidade de cada célula de seu ser de viver eternamente e não morrer. Por outro lado, o ser humano carrega também o peso da morte, escondido em seu sistema nervoso central, em sua medula, nas feições de seu rosto que refletem os principais períodos de sua existência – crescimento, maturidade, envelhecimento e morte.

A ambivalência de ser ou não ser fala intimamente ao homem, em um discurso às vezes neurótico, às vezes místico: "És mortal, buscas a eternidade!". O ser humano entra em um grande conflito que se resolve entre aceitar a morte e buscar a imortalidade. Esse conflito abre as portas à santa utopia da

Plenitude – e, como toda Utopia, a Plenitude dá ao homem coragem para enfrentar os inumeráveis encontros com a dor do corpo e sua derrota no sofrimento da mente.

A plenitude dá razão de ser a um ser tão débil e desamparado como o homem, que, fisicamente, mal se mantém estável, em toda a sua verticalidade, sobre a diminuta superfície de seus dois pés – o que já é uma estranha anomalia na natureza.

O ser humano se vê obrigado, para poder sobreviver, a usar a inteligência, que é seu único e verdadeiro esteio, e é com essa inteligência que empreende sua viagem mítica e mística de busca, encontro e vivência da Plenitude.

Viver pela Plenitude é o marco crucial e histórico da civilização humana.

O inferno fazia tremer o homem grego, que, ameaçado pela ruína do tempo, temia perder-se devorado pelo esquecimento se não fizesse algo para deixar uma marca na memória daqueles que lhe sucederiam quando ele abandonasse a vida. Essa sucessão de mudanças que é a história preenche seus anais com esforços titânicos para preservar impérios, monumentos, culturas, idiomas, sobrenomes, raças e religiões.

A plenitude precisa ter uma morada na memória. O paradoxal é que esse refúgio é instável, parcial, débil, perecível e apagável. A grandeza das civilizações sobrevive nas ruínas dilapidadas de seus monumentos quebrados e consumidos pelo pó e pelo mofo.

A eternidade e o propósito de salvação da alma humana presente em todas as religiões se diluem como açúcar no leite, de um dogma a outro, resultando mais em um feito ou um evento histórico do que na verdade presente nessa ou noutra religião.

As religiões são consequência de umas ideias sobre outras, sintetizadas na conveniência do homem e em seu devir político, cataclísmico e ecossistemático. E, mesmo sendo assim, vemos a humanidade assomada à janela do devir histórico, buscando encontrar a Plenitude como sua Grande Busca.

Nos Vedas, as escrituras sagradas da famosa religião da Índia, inicia-se o aprendiz – às vezes criança, às vezes idoso – na revelação de quem é Deus, e é convidado a sondar um paradoxo que, se não for resolvido, o levará a um deserto doloroso de ignorância, inclusive se acreditar ter descoberto a resposta, e a enganar-se até a morte sobre "quem e o que é Deus".

O paradoxo sobre a natureza de Deus, como o Ser de todo ser e de todos os seres, é apresentado, a título de advertência, no início, na porta de entrada da *upanishad* do Senhor. A *Īsha Upanishad* se inicia com a revelação sobre Deus como o Senhor de tudo e de todos.

1. *Īsha*, o mestre que realiza *īshte*, o governar, sendo dono e senhor de todos os seres.
2. *Īshana*, o Senhor íntimo que pulsa na batida do coração.
3. *Īshvara*, Īsha como o *dharma* controlador.
4. *Jivēshvara*, Īsha como o Dono de todos os seres.
5. *Dharmēshvara*, Īsha como o princípio legislador.
6. *Jagadīshvara*, Īsha como o centro de todo o Universo.
7. *Purnēshvara*, Īsha como o Todo.

Deus, Īsha, é o Todo, e o Todo é o único Pleno.

Tudo que não é Īshvara está incompleto, é limitado, perecível e imperfeito.

Īshvara é a Plenitude – e só a Plenitude não tem princípio nem fim –, e, portanto, se define como Eterno, sem nascimento, sem morte, sem história e para sempre.

O Não Pleno é finito, mortal, impermanente, vazio e esquecível. Onde está o paradoxo? O primeiro dos livros da revelação sobre a natureza de Deus nos lança na dúvida e na busca.

Bem diziam os filósofos gregos que, sem aparecer o paradoxo na mente humana, a busca da verdade, a filosofia, não se produziria e o homem permaneceria atônito em sua conformidade e em sua devoção falsa pelo medo de morrer, sonhando com uma vida feliz enquanto vive e aspirando a uma continuação da vida na eternidade, mas só após a morte. Morte que espera ser apenas um trânsito, como ir à outra margem do rio: *mrityor mā amritam gamaya* – "Conduza-me, ó Īsha, ó Senhor, da morte para a não morte, para a imortalidade" (*Brihadaranyaka Upanishad*).

O sábio, conhecedor dos mistérios de Deus, Īsha, Īshvara, *Jivēshvara* etc., confronta a contradição da não plenitude e do perecível do mundo material e luta com a ciência, que logicamente não pode admitir perenidade maior que o movimento das partículas da matéria – ainda que estejam ameaçadas pelo buraco negro do vazio da antimatéria. Se a ciência tem razão, por que e para que consagrar a vida inteira à busca de uma quimera? Temos apenas uma resposta, que brota do pulsar do nosso coração: "Precisamos da plenitude, queremos a plenitude na nossa vida diária, sentimos carências e ausências. Queremos Ser".

Oṃ pūrnamadah pūrnamidam pūrnāt, pūrnamudachyate, pūrnasya pūrnamādāya, pūrnamevāvashisyate Oṃ shātntiḥ shāntiḥ shāntiḥ.
Brihadaranyaka Upanishad e *Īshavasya Upanishad*.

Oṃ pūrnamadah pūrnamidam pūrnāt, pūrnamudachyate, pūrnasya pūrnamādāya, pūrnamevāvashisyate Oṃ shāntiḥ shāntiḥ shāntiḥ Brihadaranyaka Upanishad e Īshavasya Upanishad.

Tudo é Um. Isto é Pleno. Aquilo é Pleno.
Esta Plenitude veio daquela Plenitude.
Mesmo depois que a Plenitude surgiu da Plenitude,
o que permanece é apenas uma única Plenitude.

Tudo é Um. Isto é Pleno. Aquilo é Pleno. Esta Plenitude veio daquela Plenitude. Mesmo depois que a Plenitude surgiu da Plenitude, o que permanece é apenas uma única Plenitude.

Pūrnam é a Plenitude à qual não se pode acrescentar nada e da qual nada se pode tirar. Sempre plena em qualquer mudança e movimento, como a água no oceano e sua sucessão de ondas, sua glaciação e evaporação, sempre água e apenas água com ou sem o que lhe acrescente, água e apenas água para sempre.

Pūrnamadah pūrnamidam pūrnāt, pūrnamudachyate, este Universo, com cada ser que nele mora, é pleno e advém da Plenitude Perfeita, que é sempre Plenitude, sempre infinita.

Resolver o enigma da Plenitude é resolver a dúvida quanto à existência de uma vida após esta vida e jogar luz sobre a controvérsia filosófico-existencial acerca do que é a vida e para que vivemos. Na aproximação com a concepção da Plenitude, deixamos definições nos dicionários e nas doutrinas de pensamento. Graças a esse esforço intelectual e gramático, podemos iniciar nossa caminhada em busca de uma Verdade verdadeira que suspeitamos estar oculta numa verdade aparente e com ares de falsa, vislumbrando que uma coisa é "a Plenitude em si mesma" e outra coisa é "estar em plenitude" – ou, mais arriscado ainda de compreender, seria tentar conseguir "estar com a Plenitude e na Plenitude".

A plenitude de quem alcançou a máxima perfeição em sua profissão está relacionada a chegar a sentir-se pleno, de modo a estar satisfeito com o desenvolvimento de "si mesmo", seja qual for a faceta humana na qual o homem busque encontrar-se.

A plenitude de um objeto ou um projeto se considera realizada quando está finalizada a tarefa, ou, de outra perspectiva, está

Īshavasyamidam sarvam.

———

Todo o mundo está envolto pelo Senhor.

nas revisões constantes para manter uma máquina, por exemplo (digamos, um motor), em pleno funcionamento.

Alcançar a idade da plenitude é chegar ao pico da maturidade após um longo processo de imperfeições e equívocos e a partir do qual a pessoa descende até a decadência da velhice e à morte como "não ser".

No idioma sânscrito, encontramos vários termos que se provam esclarecedores para pensar a plenitude como algo interessante de conceber, buscar e, no caso de não ser alcançado, ao menos do qual aproximar-se.

– *Bahulatā'tva*: satisfazer plenamente as necessidades vitais – Pensando no mundo e em sua diversidade, encontramos a voz *Bahulatā'tva*, que nos fala da necessidade de que haja colheitas abundantes para que haja um bem-estar exuberante, livre de riscos diante das calamidades da vida e diante da diversidade de seres e pessoas na sociedade. O indivíduo se sente em risco face à luta por seus direitos. *Bahulatā'tva* é a plenitude que a pessoa busca após se cuidar e ter supridas suas necessidades vitais.

– *Sambhrit*: ter uma vida humana plena – Nessa luta por preservar o espaço vital necessário, a plenitude como *Sambhrit* nos convida a evitar a perda da nossa identidade e da nossa estabilidade nos múltiplos compromissos e obrigações que nos esvaziam de nosso eu mais estável e nos diluem no nada, repleto de preocupações, negatividades e irritabilidade. Ter *Sambhrit* é ter plenitude da segurança de si mesmo como ser humano na vida entre os humanos.

– *Pūrnam*: a Plenitude na Plenitude – O termo mais usado misticamente é *Pūrnam*, que está no centro da já mencionada oração de abertura da *Īsha Upanishad*, sobre a revelação do vínculo com o Senhor de tudo e de todos. *Pūrnam* é a Plenitude

Brahmavit Brahmaiva Bhavati.

―――

*O conhecedor de Brahman
se torna Brahman.*

em si mesma, a Plenitude mais que perfeita da ontologia do Ser.

Na busca por compreender o Ser e suas propriedades, chega-se à perplexidade de que, se algo parece ser, então não é o que parece, enquanto o que realmente É transcende tudo – aparência e qualidade –, mesmo quando é apenas "concebido e orientado" pelo que se manifesta, como uma sombra que nos guia ao perfil a partir do qual se projeta.

Os sentidos do homem não podem perceber a imensidão, apenas um pouco do horizonte que avistam. A mente, naturalmente ligada aos sentidos, se suspende, atônita, diante da contemplação mística do Ser e recorre à "supramente" para tornar conhecivelmente possível a visão sem olhos, com o "terceiro olho" dos *yogis*, o "ver sem ver" Aquilo, esse Ser que assume todas as formas, abarca tudo que existe, desde o infinitamente pequeno ao descomunalmente grande, e que reside em tudo o que Ele emana e ao mesmo tempo se mantém externo a toda a sua criação.

Isso – não "esse" – sem nome, sem forma específica e além de qualquer definição, é *Pūrnam*, Pleno. E, por ser Pleno, o sânscrito humildemente o enuncia – e não "chama", já que não tem nome, porque nada o qualifica, porque não tem forma e é o gerador de todas as formas. A Isso, os Vedas tentam codificar como Brahman, o Absoluto.

Se há algo absoluto, não pode ser encontrado neste mundo material, mas tampouco pode se manter isolado num supramundo, ou céu, já que, por ser tão imenso, se não abarcasse a totalidade dos confins da existência nos quatro pontos cardeais e nas três dimensões, não seria possível enunciá-lo como o Absoluto.

A vida interior é a alternativa que as grandes tradições de iluminação como o *dharma* do Veda têm para desenvolver a plenitude vital. Saber-se pleno com a ajuda da vida espiritual e realizar a revelação da Plenitude no Ser é a glória do místico *yogi*.

A *Īsha Upanishad* começa, em seu primeiro verso, com esta luz: *Īshavasyamidam sarvam*, "todo o mundo está envolto pelo Senhor". Esse mundo repleto de nomes, definições, formas, atividades, naturezas e qualidades é uma superimposição que vela à mente a consciência do *Atman*, ou seja, do eu no Eu, do ser no Ser, e impede a plenitude na Plenitude do Ser. A partir dessa consciência de "ausência", inicia-se a grande aventura da verdadeira espiritualidade.

Conhecer o Absoluto Brahman e desenvolver a plenitude na Plenitude: *Brahmavit Brahmaiva Bhavati*, "o conhecedor de Brahman se torna Brahman". Essa é a mais alta meta humana.

Quando se alcança a plenitude na Plenitude, nada falta, nada sobra.

Swami Shankaratilakananda
Saraswati Paramahansa
Rishikesh, Índia
30 de agosto de 2020

Sobre o autor

PREM BABA, UM SÁBIO DIANTE DA PLENITUDE

―

Conheci Sri Prem Baba por acaso, passeando pela área onde moro na Índia, e encontrei-o em uma segunda ocasião, quando ele assistia como convidado de honra ao lançamento do livro de Radhanatha Swami, no qual eu, como palestrante, apresentava o autor e seu livro ao público congregado no célebre *ashram* de Paramartha Nikettan, em Rishikesh. Depois, o convidei a jantar na minha casa em Munikireti, e assim teve início a magia de uma amizade única.

Ao longo desses muitos anos, vim conhecendo mais profundamente a grande estatura e o *know-how* desse ser humano excepcional, dotado de uma clareza de pensamento, assimilação e síntese que nunca deixa de me surpreender. Sem dúvida, Prem Baba tem *baraka*, essa bênção sedutora dos sufis para transformar pessoas, animais e "coisas", gerando abundância e magnetismo.

Ele é herdeiro de uma doce e devota tradição muito reconhecida e respeitada no norte da Índia, a linhagem de Sachcha Baba Guru. Após o pedido de seu divino mestre, engrandeceu esse legado com esforço e dedicação, transmitindo a todo o mundo uma mensagem certeira – *Prabhu aap jago. Paramatma jago. Mere sarve jago. Sarvatra jago. Sukanta ka khel prakash karo –*, que levou paz, salvação e esperança a milhares de seres humanos.

Em meus mais de quarenta anos de vida monástica e magistério, ninguém me surpreendeu e compadeceu tanto quanto Sri Prem Baba. Nele, encontrei um sábio que sabe escutar, que expõe seu autodomínio como um exemplo diante das tensões, generoso, culto, educado, com uma fome de conhecimento, sempre disposto a aprender mais e mais, e, sobretudo, um grande amigo.

Pouco a pouco, meu amigo Prem Baba foi me ganhando para sua causa. É impossível recusar seu chamado. E eu respondi juntando-me à sua missão com dedicação, sacrifício e entrega – que é como devem ser feitas as coisas quando nos envolvemos de coração, oferecendo o que temos de melhor.

Atualmente, colaboro com a formação em *Dharma* de seus estudantes por meio da escola védica que dirijo, ensinando conteúdos e metodologia tanto presencial quando on-line – e sendo, como ele me chama, seu "parceiro".

Como todo homem que pisa forte e deixará sua marca no futuro, é contestado, rebatido e atacado. E, na revisão da história, quem não foi? Seu país de origem, o Brasil, deveria ter orgulho de ver que um de seus cidadãos chegou à mais alta representação da espiritualidade da Índia. Os maremotos que os grandes homens espirituais vivem em seu presente são as provações magníficas para comprovar sua grande estatura humana no futuro.

Este lindo livro é o resultado de seu estrito período de vida ascética, recluso por conta da pandemia de 2020, vivendo em intenso *sadhana* de meditação, oração e estudo no *ashram* onde conheceu seu mestre Sachcha. Vi como trabalhou nele com dedicação e esmero e com um só objetivo: levar alívio para a alma e consolo para a mente das mulheres e dos homens desta atormentada geração da Covid-19, criando um modelo para o futuro e mostrando como, em meio ao infortúnio, à desgraça e à dor, podemos sorrir, estar serenos e encontrar uma via de regeneração.

Este livro *Plenitude* marcará um ponto de virada em seu trabalho espiritual em sua missão – e queiram deuses e gurus que possa durar muitos e muitos anos.

Swami Shankaratilakananda
Saraswati Paramahansa

Mesmo que o guru, no fim das contas, lhe dê o poder para ser um guru de si mesmo, e esse guru interno seja o seu refúgio final, a maioria de nós é confusa e desorientada demais para encontrar esse refúgio sem ajuda. De acordo com a tradição Kaula Tantra, nós todos precisamos do poder de clareza transmitido pelo guru, alguns de nós uma vez só, outros muitas vezes. O meio para que isso ocorra é ouvir as palavras do guru, estar em sua companhia, receber o seu olhar compassivo, ler as escrituras com ele, praticar com ele, receber um mantra dele, vê-lo realizar um rito ou a transmissão direta da energia. Note que esses meios de iniciação somente podem ser usados por um guru autorrealizado e não precisam ser dados pela vontade consciente do guru. Se seu karma está maduro e, assim, a sua "lenha" está seca, ela pegará fogo já pelo mero contato. Nem é verdade que tal guru precise saber quem você é no nível superficial (sua história, psicologia).

Christopher D. Wallis
Tantra iluminado

GLOSSÁRIO DE TERMOS EM SÂNSCRITO

―

AJNA: Chakra (centro de energia) frontal, relacionado com a glândula hipófise, também conhecido como terceiro olho. É o centro da sabedoria e intuição.

ARJUNA: Uma personagem do épico *Mahabharata*, que no capítulo conhecido como *Bhagavad Gita* recebe o conhecimento do yoga de seu mestre Krishna. Representa o eu consciente e o herói da jornada evolutiva.

ASHRAM: Espaço onde vive uma comunidade espiritual diretamente conectada com um guru.

BHAGAVAD GITA: Uma das principais escrituras védicas. Trecho da epopeia hindu *Mahabharata*, escrita por Vyasa, que narra o diálogo entre Sri Krishna e seu discípulo Arjuna, transmitindo a essência do yoga e do vedanta.

BRAHMAN: O absoluto, o atemporal, o imperecível que contém todo o Universo manifesto e não manifesto. O princípio divino que sempre existiu e sempre existirá.

CAMINHO DO MEIO: O caminho para se alcançar a Plenitude. Transcende as polaridades e os extremos. Tem como base o bom senso.

CHAKRA: Vórtices de energia. São como órgãos vitais do corpo sutil. Captam, dinamizam e redistribuem a energia para o corpo. São inúmeros os chakras, sendo os mais conhecidos os sete que se situam ao longo da coluna e que se relacionam com as glândulas de secreção interna. Regulam a percepção e definem os estados de consciência.

DHARMA: Ação correta que adotamos como padrão para as nossas atitudes, que devem ser norteadas pelo princípio de que vivemos uma unidade. Os maiores valores do *dharma* são a verdade e a não violência.

ESTUDO DA SOMBRA E SUA INTEGRAÇÃO: Conhecimento dos aspectos da personalidade que sabotam a felicidade. Esses aspectos são conhecidos como natureza inferior ou maldade e funcionam como mecanismos para proteger a entidade humana dos choques de desamor. A integração é sinônimo de transformação do veneno em néctar. Por exemplo, transformação do medo em confiança, ódio em amor, egoísmo em altruísmo etc.

GURU: Aquele que dissipa a escuridão com a luz do conhecimento.

JAPA: Prática espiritual que consiste na repetição de um mantra transmitido por um guru.

JIVA: Ser vivo ou qualquer entidade que contenha força de vida.

KARMA: Resultado das ações realizadas.

KRISHMA: Avatar do senhor Vishnu (aspecto conservador da divindade – aquele que mantém o Universo). Conhecido como a personalidade suprema de Deus, a fonte de tudo. É também o Mestre de Arjuna que, no *Bhagavad Gita,* transmite a ciência da liberação do sofrimento.

KUNDALÍNICA: Referente a *Kundalini*, o poder espiritual responsável pela Plenitude.

MAHASAMADHI: Estado supremo de consciência que o yogi atinge após deixar o corpo físico.

MAYA: Um termo sânscrito que se refere à grande ilusão cósmica, que nos faz tomar o falso como real e o real como falso. A ilusão característica da natureza do Universo manifesto expresso como dualidade.

MINDFULNESS: Nome moderno para antiga prática de atenção. Estado de presença que prepara o campo para a meditação.

NIRVANA: Estado de paz plena com o esvaziamento profundo da mente, em que são suspensas todas as perturbações e o sujeito alcança a libertação espiritual.

OM: Som primordial que nasce do silêncio. Manifestação sonora do poder de Brahman (absoluto) que representa a totalidade. Contém o passado, o presente e o futuro. Declaração de unidade.

PARIVARTAN: Transformação. A grande transição do materialismo para o espiritualismo.

PARAMGURU: Guru do guru de um discípulo.

PRANAYAMA: Controle da energia vital por meio de exercícios respiratórios.

SADHAKA: Praticante da *sadhana*.

SADHANA: Prática espiritual diária.

SAMADHI: Estado de calma perfeita da mente, meditação completa, alcançando a identificação com Brahman.

SAMSARA: Ciclo kármico de nascimento, morte e renascimento.

SANGHA: Comunidade espiritual ou religiosa.

SÂNSCRITO: Idioma no qual as escrituras sagradas dos Vedas foram reveladas. É considerado o idioma perfeito para se acessar o conhecimento do Ser. É uma das línguas mais antigas da humanidade e teve grande influência na origem de muitos idiomas.

SANTOSHA: Estado de contentamento supremo que não depende de nenhum aspecto exterior para se realizar.

SATSANG: "Encontro com a Verdade"; sentar-se junto a um guru, que oferecerá a Verdade.

SEVA: Serviço desinteressado ou renunciado, do qual não se espera colher frutos nem receber algo em troca.

SPOTHAVADA: Ciência sagrada dos sons.

UPANISHADS: Escrituras sagradas védicas que são a base do conhecimento do vedanta.

VEDANTA: Conhecimento mais elevado dos Vedas, que trata da nossa verdadeira identidade e da razão de estarmos aqui.

VEDAS: Conhecimento superior revelado aos sábios em estado profundo de meditação e registrado nas escrituras sagradas védicas. São transmitidos por meio da relação guru-discípulo desde tempos imemoriais.

VÉDICO: Qualidade daquilo que vem da cultura das escrituras dos Vedas.

YOGA: Conhecimento e filosofia dedicado à união com a fonte, com o nosso Ser verdadeiro. É o cessar das flutuações da mente.

YOGI: Ser humano dedicado ao yoga no seu sentido mais puro, seguindo as orientações do conhecimento védico contido nas escrituras sagradas, com comprometimento para alcançar a libertação.

DJAGÔ
ACADEMIA DE ENSINO

A Djagô Academia de Ensinos é a oportunidade de estudar de maneira sequencial e contínua com o acompanhamento direto de Sri Prem Baba, em encontros online e ao vivo que acontecem todos os meses. Por meio de sua metodologia simples e acessível, Prem Baba oferece conhecimento que, aliado à prática, auxilia e fortalece o processo de autodesenvolvimento e expansão da consciência. Faça parte inscrevendo-se em djago.com.br

Siga @djaago nas redes sociais.
djago@sriprembaba.org

Conheça outros livros de Sri Prem Baba:

AMAR E SER LIVRE: as bases para uma nova sociedade (2015)
PROPÓSITO: a coragem de ser quem somos (2016)
TRANSFORMANDO O SOFRIMENTO EM ALEGRIA: construa relacionamento íntimos e harmoniosos (2017)

@sriprembaba @sachchaprembaba
www.sriprembaba.org

Esta obra foi composta por Maquinaria Editorial nas famílias tipográficas Adobe Caslon, Avenir LT Std e Museo, capa em papel cartão 250 g/m², miolo em Pólen Soft 80 g/m², impresso pela Promove Artes Gráficas em abril de 2022.